A VIDA O MUERTE

ANTONIO SALINERO

A VIDA O MUERTE

algaida

Ilustración de cubierta:
COVER

Primera edición: septiembre de 2006

Avda. San Francisco Javier 22
41018 Sevilla
Teléfono 95 465 23 11. Telefax 95 465 62 54
e-mail: algaida@algaida.es
Composición: Grupo Anaya
ISBN: 84-8433-943-2
Depósito legal: M-37810-2006
Impresión: Huertas A.G.
Impreso en España-Printed in Spain

MEFISTÓFELES: *Con qué facilidad y gusto me acostumbro a este lugar pues entiendo a todo el mundo.*
Fausto (Goethe)

Sí, ahora todo el mundo es feliz. La eternidad estaba en nuestros labios y nuestros ojos.

Un mundo feliz (Aldous Huxley)

QUERIDA MARCELA:

Hay varias maneras de morir. Una de ellas es ésta. Cierto es que yo no he nacido para llevar una vida bullanguera y agitada, pero aquí hay pocas distracciones, demasiada tranquilidad. ¿Te acuerdas, Marcela? me has mandado muchas veces al infierno. Pues bien, aquí estamos. Aunque el papel de celofán y los encantamientos hagan que parezca otra cosa, esto no deja de ser el averno con palmeras. Ya me di cuenta al llegar aquí de la gran diferencia que hay entre el viaje y la huida. Algún día lo sabrás. No lo dudes.

Ay, cómo pasa el tiempo. Mañana es mi cumpleaños, y yo no estoy para gracias ni celebraciones. Me conformaría con cumplir la mitad de los que aparento. No hace falta ser un águila para observar el abatimiento en el tono lila de mis ojeras y una aureola de abandono en mis pupilas. Ya lo sé, nunca he sido muy cuidadoso. Además de las secuelas de la sobredosis de desencanto, me falta distinción. Con este aspecto tan demacrado, desentono mucho aquí, y ya sabes que no soporto hacer el ridículo. No quiero ocultarte mi desazón. Este no es mi lugar en el mundo.

Esta tierra no es buena para echar raíces. Aquí te pudres. Hay demasiado sol, demasiada luz y pocos alicientes. Ah, y se come fatal. Odio este archipiélago de la conchinchina, este atolón en la cara oculta de la tierra que llaman el Gran Caimán, un lugar que sería perfecto para esos experimentos nucleares que de vez en cuando arruinan el planeta. Si he de serte sincero, este claustrofóbico espacio le viene muy pequeño a mi ego. Además, tampoco hay librerías. Ni siquiera una tienda donde comprar un revólver.

En este refugio se pierde la noción del tiempo. No sé que hora es en España, aquí son las doce de la noche. No tengo sueño. El calor te va quemando poco a poco y transforma el cerebro en un microondas donde rebotan las neuronas hasta socarrarse. Así no es fácil mantener la calma. La angustia existencial se fertiliza con la misma rutina día a día: Palmeras, ron y televisión. Ése es todo mi esparcimiento. Un círculo vicioso.

Tengo demasiado tiempo libre, demasiada ociosidad, y eso no me conviene. Apoltronado en mitad del Caribe, no haces más que comerte el coco, y te aseguro que esta comezón puede volverte loco. Es el corazón de las tinieblas. Tampoco soporto la arena de la playa, lo mío era el asfalto picado y las baldosas rotas, el ruido de Madrid. La civilización.

He perdido muchas cosas huyendo de España. También el apetito. Siempre has sido un inadaptado, estarás pensando. Como ves, no te decepciono. Sé que siempre me has considerado un chiflado, un cero a la izquierda. Pero aún no he tirado el billete de vuelta. Ándate con ojo.

Aquí nunca se acaba de encontrar la puerta de salida, nadie conoce a nadie y todos se miran de reojo. Esta isla en la periferia del mundo es un enjambre de ricos desocupados, de ladrones de cuello blanco y de haraganes como yo. Supongo que estará rodeada de tiburones. Todos los delincuentes del mundo han enterrado aquí su botín. Es la isla del tesoro.

Había una película... creo que se titulaba: *The ballad of the running man*, o algo así. Sterling Hayden era el tonto de turno, un chivo expiatorio como yo, al que nadie previno de las malas compañías. Alojado en un hotel de mala muerte a las afueras de Atlantic City, bajo la luz tenue de la libertad condicional, esperaba a que se alejara la polvareda de la redada policial y que el tiempo tapara su nombre de los titulares más crueles de la crónica negra. Aquel motel no era un lugar seguro. Sus compañeros de viaje, unos fulanos de pocas palabras y muchos antecedentes, aún conservaban viejas facturas. A aquellos tipos les resultaba imposible irse de la lengua y delatarle, pero tenían otras maneras de saldar cuentas pendientes. No sé por qué la traigo a colación, supongo que porque siempre me ha gustado el título, *La balada del hombre que huye.*

Me asomo a la ventana. Desde aquí contemplo la bahía y el histérico revoloteo de las gaviotas hambrientas. Yo no me baño, que el mar es muy traicionero. Qué ironía; el reducido espacio de esta isla define a la perfección la vida de recluso a la que estaba predestinado. Algunas veces me agarro a las rejas de la ventana de este hotel colonial en el culo del mundo para ver la partida de los yates. Estos barrotes me certifican el cautiverio de lujo al que me han empujado los avatares literarios, al que me has arrojado tú. Me golpea la misma brisa que sentirían los habitantes de Alcatraz.

Mi cojera se ha acentuado. Será porque aún arrastro como un fantasma el grillete que me pusiste en el tobillo, mala puta. Como ves, el resentimiento puede nublarte el horizonte. No eches las campanas al vuelo.

La gloria está al final del camino, ve tras ella, no flaquees, a vida o muerte, arrímate a buen árbol, crece y multiplícate, llena la tierra con tus novelas, decía mi padre. Yo era un niño traumatizado (pensarás que lo sigo siendo). Cuando por navidades o cumpleaños los demás recibían cuentos y juguetes, mi padre me regalaba consejos. Papa nunca tenía prisa ni dinero, por eso era un filósofo. Creo que cada vez me parezco más a él.

Ya lo ves, estoy jodido. Me duele el alma y la pierna, y a menudo me dan tembladeras, aparte de otros síntomas venéreos que no vienen al caso, producto de alguna extraña enfermedad tropical que aquí no son capaces de mitigar. No te extrañes, siempre hay un roto para un descosido.

Sé que circulan muchas difamaciones y maledicencias sobre mi persona, amén de otras insinuaciones sobre mi desorientación sexual. La gente destila mucho veneno cuando se alcanza renombre y se abre la veda de los ecos de suciedad. A este lugar llegan las noticias con mucho retraso, pero navegando insomnios por internet me he enterado de que, además de los chismorreos, me busca la policía.

Te saliste con la tuya. Nunca debí hacerte caso, nunca debí abandonar aquella cutre pensión de Madrid. En esa cloaca, al menos, escribía. No creas Marcela, ya no tengo tantos pájaros en la cabeza, aquí se han achicharrado. Son ceniza. No me quedan ambiciones. Sólo el alcohol se me sube a la cabeza. Ya ves, no he cambiado, he vuelto a las andadas. Mi condición es el fracaso, fuera de él me siento como extraño.

Supongo que habrás desaprobado la donación que hice al hostal Carlos II. No pongas esa cara. Yo me gasto el dinero como me da la gana.

No empieces con tus coplas de usurera. El dinero no lo es todo. A veces pienso en abandonar la vida muelle, tirar la toalla y contar la verdad. Reconócelo, en la receta promocional de esta apología del crimen se te ha ido un poco la mano con la salmuera. No me importa lo que pienses, sospecho que ya has enredado bastante la madeja y que en el guión de esta tragicomedia me has reservado el papel de Sterling Hayden. Tú misma lo decías: No tienes nada que perder. Pero ahora tampoco.

La puta depresión sube como la marea. Es un proceso lento y demoledor que te ahoga poco a poco sin que haya nadie a tu lado para hacerte el boca a boca. Ya ves, estoy bajo de moral, la soledad me oprime, pero no te preocupes, aún no he reunido el coraje suficiente para tirar de la manta y abandonar este lujoso exilio sabático. Ya sabes que soy un cobarde, y que cuando algo me supera opto por la borrachera. Un día me va a dar algo.

Salgo poco. Con esa espada de Damocles de la requisitoria judicial tampoco es plan de dejarse ver por ahí con una camisa hawaiana. Ayer estuve en la playa contando estrellas. Se me fue el santo al cielo y pasé la noche en vela. Aquí hay demasiado tiempo para pasar y repasar la vida y, por el momento, el ron no ha embotado mi memoria. Secretos del cosmos. Tras las sirenas de los barcos y el bullicio de las juergas en cubierta, la brisa de la noche trajo las notas de un tango procedente del puerto, *Adiós muchachos,* creo que era. Esa música, iluminada por el plenilunio y amortiguada por el oleaje, me trajo buenos recuerdos de los años pasados en el hostal Carlos II y de los únicos amigos que tuve de verdad. Brindo por ellos.

Por el viejo Fausto, que psicoanalizaba y recitaba a las mil maravillas. La cuestión no es saberse unos cuantos tangos, unas frases tópicas o un puñado de citas de Shakespeare, la cuestión es saber decirlas con intención y colarlas cuando hacen falta. Él lo hacía. Por cierto tienes que sacarlo como sea de ese infame sanatorio, el abuelo no merece terminar de esa manera. Me encantaría que muriera de muerte natural. La culpa la tuvo la fama y la vida sana, y ese abogado de tres al cuarto al que llamaban Vivales. Le lavaron el cerebro. ¡Maldito cabrón! Ya le advertí que aquellas milongas sobre el vigor y la felicidad no eran más que desafinados cantos de sirena.

Hazme otro favor. Tienes que enterarte del paradero de Pandora. Le debo mucho y es hora de pagar mis deudas. Quiero que deje el Mogambo, la clientela de ese antro infecto no le conviene. Dile que puedo pagar el rescate y hacer que la conviertan en toda una mujer. Y a Elisa, la pobre, que no le falte de nada en Brasil. Las desgracias nunca vienen solas. Ay, esa enfermedad es muy perra. Hazte cargo.

No sé porque te cuento este rollo y lanzo esta preñada botella al mar, casi un testamento. Mira por donde, *Parada y Fonda*, la novela que te está enriqueciendo cuenta la historia de todos ellos. ¿Cuántos libros se han vendido? No te quejes. Te estarás frotando las manos y chupando los dedos. Sigo siendo un cero a la izquierda que te está procurando muchos a la derecha de tu cuenta corriente. En el fondo, sé que te importa un pito la literatura, por eso hurgo en la herida.

¿Sabes de qué me acordé el otro día? De las bolas chinas de Galán. El detector de metales de la nueva terminal de Barajas me hubiera impedido traerlas aquí. Con lo importantes que son para la investigación policial y yo no tengo ni puta idea de dónde las he dejado. ¡Vaya por Dios! Es curioso, a pesar de sus presuntas propiedades relajantes, a ti, seguro, que te ponen de los nervios. Arcanos chinescos.

No creo que eches de menos a Arturo Galán, tu gallina de los huevos de oro. ¿Conoces el cuento? Por más vueltas que le doy no acierto a comprender vuestra relación. Nunca la entendí. Dicen que el roce hace el cariño. Bobadas. El roce roza y desgasta. Vuestro contrato era un papel de lija. Quizá tenías razón, Galán, que en gloria esté, era un escritor mediocre y una mala persona.

Tú tampoco le vas a la zaga. No te mosquees. Hoy voy a ser más comedido. Te pido disculpas por las torpes palabras de desahogo del anterior correo, no me las tengas en cuenta. Además, como tus desvelos crematísticos superan con creces a los crematorios, puede que estas cartas se publiquen algún día. Por eso he de ser precavido y, aunque he aprendido por fin a llamar a las cosas por su nombre, voy a cuidar las formas, no hace falta ser más grosero. Solo diré que eres cínica y fría como una mutante. No tienes sentimientos. No creo equivocarme de radiografía. Eres una sanguijuela con el rostro más duro que una cariátide. Ah, y que lo sepas, tu mal gusto quizá sería llevadero de no estar disfrazado de mojigatería oriental. Sé que esto te hará bizquear y torcer la sonrisa. Me trae sin cuidado.

El tiempo empeora, como yo. Hoy se ha levantado un poco de viento. Han anunciado para mañana la llegada de un fuerte huracán. Dolly, así lo han bautizado. Por estos lares no las tienen todas consigo. Están acojonados. Ya te contaré. Ojalá Lolita devaste esta cueva de piratas.

El cartero ni siquiera llama dos veces. No acusas recibo de mis cartas. Mejor así. Quizá estos mensajes de náufrago borracho naveguen sin rumbo por el ciberespacio. Pero un día, en alguna parte, alguien descorchará la botella, tirará del hilo y encontrará la salida del laberinto. Cuando eso ocurra espero estar presente para ver la expresión de tu rostro. No me lo perdería por nada del mundo.

Te crees por encima del bien y del mal, un ser superior que observa el universo de forma distinta a la del resto de mortales. Pues no, eres como todos. Confórtate con esa beatería hindú que practicas, esas chorradas del ying y el yang, del nirvana, el tantra y los maleficios védicos. Como, además de las mujeres, sé que te gustan esos lisérgicos maximalismos te regalo unas perlas de Khalil Gibran a propósito del crimen y el castigo:

El asesinado no es irresponsable de su propia muerte... Sí; el culpable es, muchas veces, la víctima del injuriado. Y, aún más a menudo, el condenado es el que lleva la carga del libre de culpa.

Por ahora no te calientes la cabeza. Soy inofensivo, sólo disparo balas de fogueo. *Allegro ma non troppo*. Con ellas tampoco puedo quitarme de en medio.

Me pregunto qué fue lo que nos pasó. Por qué extraña razón la fatalidad se adueñó de nuestras vidas. Por qué nos volvimos todos locos. *Mea culpa*. No debo atormentarme con ello. El culpable fue el calor, el fuego de la noche de san Juan. Ese fuego fatuo que entre los cipreses siempre aviva la llama de la muerte.

Es la hora del culebrón colombiano. Me voy a ver la tele.

Tuyo afectísimo.

NARCISO

MADRID ES UNA MUJER EN REPOSO, UNA MADRE única e irrepetible que siempre aguarda lo mejor de sus hijos, es como una puta ingenua, abierta de par en par, que siempre espera a los desesperados. Carlos Vivales lo estaba y pensaba que huir hacia delante era la única manera de salir a flote. Llegaba impaciente por probar fortuna, la esperanza de los que nunca la tienen, y hacer su apuesta de todo o nada. Todo a una carta. Su última partida a vida o muerte. En realidad, aquella entrada bajo el Puente de los Franceses sólo buscaba una salida, un cambio de racha. La astucia era su única llave, con esa ganzúa pretendía abrirse paso en aquella ciudad improvisada donde las oportunidades florecen en cada esquina y la libertad tiene cierto aire de comuna, eterna liturgia de corrala. Villa y corte de los milagros. Un ecosistema libre y mestizo donde, según creía, aún podían sobrevivir los pícaros de su laya.

Los pájaros piaban histéricos y los insectos zumbaban a placer mimetizándose a las mil maravillas con el bullicio urbano del mediodía. La primavera se disfrazaba de verano tropical y abría su particular y extemporánea fiesta de carnaval. El mercurio marcaba una temperatura de placenta. Poco sospechaba el prófugo que aquella maternal bienvenida, que aquel calor amniótico le fuera a deparar a la larga tantos sofocos.

La calle ardía y el asfalto incandescente quemaba los neumáticos del taxi que había tenido la suerte de coger el agotado Vivales. El viejo Mercedes sorteaba renegado los obstáculos de un pavimento hostil sembrado de zanjas, cascotes y chirimbolos de todos los tamaños, entre frenazos bruscos y semáforos en rojo.

Los bullangueros sonidos de la urbe se ocultaban asustados entre los ruidos nerviosos y agresivos de las máquinas taladradoras y las hormigoneras. El aire se transformaba por momentos en polvo y humo de gases tóxicos, en un venenoso bochorno que intoxicaba. Al pegajoso calor reinante se añadía una pestilencia que se adhería al alquitrán como un pegamento. Era el hedor que expelían como fumarolas volcánicas los atestados contenedores de la basura, un estercolero intermitente que certificaba la huelga salvaje convocada por el servicio municipal de limpieza. La jungla de asfalto.

Una valla amarilla acribillada por el óxido impedía el acceso de los vehículos a la Plaza de la Puerta del Sol, al kilómetro cero. Por íntimas razones que ni él mismo acertaba a descifrar, el abogado quería comenzar su nueva vida desde ese punto: Kilómetro cero. Superstición, rito iniciático o pelelada, ¿quién sabe?

El taxista se vio obligado a dar otro rodeo más por la ciudad, esta vez no deliberado, y pasó por segunda vez al lado de la Plaza de Cibeles. Vivales, intentando rastrear algún augurio que le infundiera ánimo, fijó su mirada en los ojos opacos de la Diosa de piedra, aquélla que según la mitología revelaba por medio de sus sacerdotes los misterios de la vida y de la muerte. Nada le dijeron. Harto de dar vueltas en aquel laberinto y alterado por el calor sofocante y el ruido ensordecedor de las obras, el conductor reptó disimuladamente por una acera y se internó en una concurrida calle peatonal. El calor trastorna mucho.

Bajo el volcán de las tiendas y los grandes almacenes, entre aquel abigarrado locutorio telefónico callejero, circulaban con garbo las bolsas de Zara y de El Corte Inglés. Se cruzaban airosas con una sórdida lava de transeúntes, inmigrantes desafortunados, vendedores ambulantes, vagabundos, bebedores afligidos, carteristas y timadores, inadaptados, enajenados sin tratamiento, toxicómanos, músicos de oído y gente de paso. Improvisada pasarela de Mango y Caramelo, de trapillo, chándal de mercadillo y harapos. Jugadores de Bolsa y perdedores varios. Figuras cóncavas ante carteles ilegibles. Figurantes de Viridiana.

El taxista se sumó al caos de la bulliciosa calle Preciados tocando repetidamente el claxon y apartando bultos desde la ventanilla con su velludo antebrazo. Era tan ilegal la maniobra que nadie allí se atrevía a reaccionar. El energúmeno maltrataba con sádicos meneos la caja de cambios y se desahogaba con los bocinazos. A punto estuvo de llevarse por delante el tenderete portátil de un vendedor de cupones de la ONCE y un cartel promocional del escritor del momento:

Arturo Galán, Polvo enamorado, su mejor novela.

—¡Vaya chusma! —exclamó con desprecio, sudando sin parar.

Aquella bestia parda simulaba entrar en la calle peatonal en son de paz, con la intención de aparcar en un garaje. Reforzando la artimaña agitó la mano como si espantara una avispa y amagó la parada un par de veces. Los bruscos frenazos hicieron vibrar las estampitas de el July y la Macarena, cuya intercesión hizo que, a pesar de la muchedumbre, pronto salieran de aquel viacrucis mendicante. El coche sonaba raro y parecía tan mareado como sus ocupantes, rebotaba con dureza, como si circulara con las ruedas pinchadas.

—Panda vagos. ¡Qué peste! —exclamó, poniendo en evidencia su condición de mastodonte.

Conducía pésimamente, a tirones, y continuaba a lo suyo, con sus comentarios soeces y su cháchara irreductible. Vivales maldecía su suerte y se preguntaba desolado, entre vaharadas de gases de motor y axila sudada, cuántos taxis habría en Madrid y cuántos seguirían circulando tan desagradablemente castizos como ése.

En la frontera ya de la barrera del sonido, los músicos callejeros improvisaban una exótica *jam session* y desfloraban su delicado himen acústico con violines desafinados, acordeones cíngaras, flautas andinas, bombos, maracas y balalaicas. Un desarraigado mosaico étnico entremezclado de polcas, cuecas, boleros y pasodobles.

Salieron por fin de la calle del olvido, esquivando los dramas cotidianos, las almas varadas y los sueños venidos abajo que merodeaban junto al oso y el madroño. Una camioneta de reparto que pasaba en aquel instante por allí casi embiste al taxi cuando éste sacaba el morro. Los conductores se enzarzaron en interpretaciones surrealistas del Código de la Circulación y se cruzaron bocinazos y frases perdularias irrepetibles. Concluido el incidente, el taxista aceleró con brío. A punto estuvo de atropellar a un estrafalario travesti con hábito de lentejuelas que corría despavorido.

—¡Hijueputa! —le espetó al taxista.

El coche se detuvo con brusquedad en la calle de la Montera. El motor rugía como un oso. El conductor también.

—¿Qué pasa? —preguntó Vivales.

—¡Panda de maricones¡Es el día del orgullo gay y han cortado el tráfico. ¡Cagüen la puta! Además del calor, esto. Hay que joderse. Hoy salen del armario a tocarnos los cojones.

Dentro del taxi, el ambiente era denso y casposo. Oleaginoso. Al agobiante calor se añadía la pestilencia de la sobaquina del taxista. La tapicería, áspera como una lija, transpiraba un arraigado vapor fétido, descompuesto, que se extendía por el taxi como un fuego fatuo, y hacía que su tacto diera hasta dentera. El aire acondicionado no respondía a los manotazos del conductor y el olor a sudor fermentado que desprendía su camiseta, pegada literalmente al cuerpo, era tan insoportable como el soniquete de la canción de moda que retumbaba en el asiento trasero dañando el nervio auditivo de Vivales. El coche circulaba a ritmo de funeral y el encolerizado taxista seguía regurgitando su retahíla de blasfemias e imprecaciones homófobas, rimando a la perfección con el rapero estribillo de la canción del verano que, mal sintonizada, tronaba en los altavoces laterales de aquel microondas con ruedas.

Aquel fanático en camiseta lanzó un escupitajo por la ventanilla a modo de protesta y, concluida la sicalíptica tonadilla, cambió de emisora: «Precausiooón, amigo condustooó: la senda es peligroosaa...»

—¡Esto es música! —anunció exaltado.

El taxímetro seguía también a los suyo y ya marcaba la misma cifra que la temperatura.

Vivales se armó de paciencia. La pachanga desaforada de los altavoces no contribuía precisamente a lograrlo y alteraba aún más las únicas neuronas del abogado que no habían desertado de allí. Desde luego, no parecía comenzar bien su plan de fuga. Iba incómodo, y se inclinaba constantemente para mirar por la ventanilla, con el hocico afilado y la nariz pegada al cristal, abstrayéndose en lo posible de aquella pesadilla con la que creía haber inaugurado su nueva vida. Hipnotizado por el péndulo del banderín del Atlético de Madrid que colgaba del enorme retrovisor, con los nervios de punta, Carlos Vivales observaba de reojo los números centelleantes del taxímetro y recordaba los rojos de su bolsillo. Aquel calor abrasador y pegajoso gratinaba su cerebro y le impedía pensar con serenidad, aún así dedujo que le salía más a cuenta bajar allí mismo.

—Pare aquí —ordenó

El taxista tardaba tanto en darle el cambio que daba la impresión de que lo estuvieran atracando. La impaciencia por abandonar aquel tóxico habitáculo hizo que Vivales renunciara a la vuelta.

Mientras cargaba con la maleta, decidió comenzar la tarea de captación de clientes en Madrid. Se estiró el traje y ofreció al repulsivo taxista una de sus tarjetas*: Carlos Vivales, Abogado.*

—Por si necesita alguna vez mis servicios —aclaró *sotto voce*

—¿Acaso le parezco pendenciero? Tengas pleitos y los ganes... —contestó bronco el taxista, revolviéndose en su asiento. Y el Fary templando gaitas: *Vayaa toriiito, ay torito braaavo...*

A trancas y barrancas Vivales llegó a las inmediaciones de la Puerta del Sol y preguntó a un policía por una pensión barata. Después del saqueo del taxista, debía conservar sus escasos ahorros por si venían mal dadas.

—¿Cómo de barata? —preguntó el guardia municipal entre desaforados toques de silbato.

—Olvídese de mi trajeado aspecto, agente, muy económica. Estoy haciendo algo parecido a un estudio sociológico sobre las últimas fondas castizas de Madrid... —justificó Vivales.

El guardia le recomendó el Hostal Carlos II. Una pensión de cuarta que no quedaba muy lejos de allí. Un antro de sainete tragicómico perfecto para esa tesis doctoral. La casa de Tócame Roque.

—No queda lejos de aquí, doscientos metros. No es precisamente de lujo, le advierto —añadió con ligero acento del sur y sarcasmo fonético.

Carlos Vivales arrastró el alma y la maleta por las recalentadas calles de Madrid y llegó derrengado al hostal. El guardia debía medir las distancias en metros andaluces. Pero no tenía pérdida. Un denso hedor a comistrajos flotaba agarrado a la puerta de entrada, al lado de una oxidada placa de latón azul grabada con una efe llena de abolladuras. El abogado echó un desolado vistazo al entorno, hizo de tripas corazón y entró.

La atmósfera de la pensión era umbría y espesa. El vestíbulo desprendía un olor penetrante a berza y a cocido rancio. Todo allí parecía barnizado con varias manos de mugre y pintura imitación a caoba. Las molduras de escayola del techo amenazaban con desprenderse en cualquier momento. De allí pendía peligrosamente una lámpara de hierro forjado en forma de corona de espinas. Criadero de arañas y metáfora cruel de aquel alojamiento. Un pequeño y carcomido tablón abatible de apenas un metro en el hueco de la escalera hacía las veces de mostrador de recepción. Al lado, un cartel de toros del año 1975 anunciaba una corrida en la Plaza de las Ventas: *Toros de la ganadería del Jaral de la Mira para los diestros Paco Camino, Niño de la Capea y Rafael de Paula.* No parecía haber pasado el tiempo allí desde aquel año. Una puerta entreabierta permitía ver los destellos de un televisor que emitía con un desagradable sonido zumbón.

A pesar de que la estridente campanilla de la puerta había anunciado la entrada de un nuevo cliente y de la escandalera de bienvenida que armaba un histérico periquito azulón que aleteaba en una jaula, nadie salió a recibirle. El abogado carraspeó e hizo todo el ruido que pudo, incluso volvió sobre sus pasos y golpeó el portón con la aldaba de bronce. A causa de la contundencia de la llamada y de los roñosos tornillos que la sujetaban, se quedó con ella en la mano. Ciertamente, no había empezado bien el primer día del resto de su vida; estaba desorientado y agotado. Aquel estado de ánimo realzaba su triste y desencajado aspecto de viejo prematuro.

—Ya va, ya va...

Una señora cincuentona vestida con una bata negra satinada por el uso, cejijunta, con cara de vinagre, andares de pato y hechuras fellinianas salió como una aparición de la oscuridad de los rayos catódicos tarareando una copla: *Era hermoso y rubio como la cerveza...* Tenía la cara congestionada y la cabeza llena de rulos, cubierta con una redecilla rosácea. Se movía con aire ortopédico. Un tufo punzante de sudor apelmazado y ropa perpetua inundó el recibidor, ocultando los efluvios de la berza y ahuyentando a las moscas de allí como un potente pesticida. Intentó una sonrisa pero tras echar un vistazo al arrugado traje del abogado le salió una mueca burlona.

—¿Se va a quedar mucho tiempo? —preguntó con una voz metálica y chillona, mientras le escrutaba de pies a cabeza.

—No creo —contestó Vivales ojeando despectivamente el entorno y colocando el aldabón sobre el mostrador.

—Son quince euros por día, una semana por adelantado. Veinte más por los desperfectos de la puerta.

La patrona giró el DNI como un prestidigitador y anotó los datos en un manoseado cuaderno de anillas. Se masajeó los ojos y comparó sin ningún disimulo su rostro con la fotografía.

—Envejece Ud. muy deprisa —dijo con sorna, extendiéndole una llavecita anclada a un llavero de dimensiones gigantescas con un escudo del Rayo Vallecano ligeramente oculto por un número escrito a rotulador.

Vivales no creyó oportuno entrar al trapo y guardó silencio. Pagó como un bendito y remolcó la maleta por las agrietadas baldosas del pasillo, que crujían a su paso y amenazaban con hacerse añicos, en paralelo con una cucaracha que avanzaba con rapidez por la línea del zócalo. El bicho desapareció asustado entre los intersticios de las losas rotas. Giró la llave y abrió la puerta de un empujón, la bisagra chirrió como quejándose cediendo el paso de la frontera de su desdicha.

La luz atravesaba los agujeros de la raída cortina y ametrallaba con sus halos la penumbra. El abogado tanteó la pared y dio el interruptor. Aquel cuarto parecía la celda de castigo de un monje trapense. Olía a cerrado y a humedad. Una cuadra asfixiante que, sin duda, habría sido limpiada y ventilada por última vez en el siglo pasado. Afortunadamente la claridad que regalaba la renegrida bombilla, sucia hasta en su interior, no permitía fijarse demasiado en la mugre.

La iluminación era escasa. En aquella pensión no debía subir mucho el recibo de la luz. Se acercó al ventanuco y descorrió aquel remendado trapo de indefinible color que imitaba un visillo de encaje *beige* pero tampoco se iluminó mucho la estancia. La habitación daba a un patio de ésos que irónicamente llaman de luces, aunque aquél sólo ofrecía sombras. Malas sombras.

Angustiado por la oscuridad y anestesiado por el penetrante olor a fritanga y amoniaco Carlos Vivales se sentó sobre la cama. El potente temblor del agotado somier hizo que su cuerpo se desplomara. La cama rechinaba bajo su peso y le engullía cual planta carnívora. Le esperaban unas cuantas noches toledanas, pensó.

Tumbado y arrullado por las numerosas palomas que colonizaban el patio, observó desolado el techo y las paredes. Cual trazos improvisados de brocha gorda, se solapaban cercos de humedad de distinta añada y goterones fósiles de esputos y semen. Con el paso de los años y de una clientela reñida con las mínimas normas higiénicas, aquellas paredes habían adquirido variopintas tonalidades. La mugre había tatuado unas manchas zoomorfas que parecían frescos de pinturas rupestres. Un decorado que haría las delicias en cualquier feria de arte moderno.

La mesilla, indultada de algún contenedor de la basura, y el desvencijado armario, que apestaba a naftalina y parecía más apropiado para albergar la ropa de un enano, invitaba a no desembalar la maleta.

Ciertamente, aquel municipal andaluz había dado en la diana más cutre, esa era una pensión de la peor catadura, pero por el momento era lo único que el abogado se podía permitir. Sólo por una semana, se prometió solemnemente.

Vivales logró zafarse por fin de la energía succionadora de aquel camastro y con las vértebras doloridas y el alma en los pies salió al pasillo en busca de algo parecido a un aseo. El baño concentraba un clima hediondo y era común para toda la planta. Al alicatado le faltaban unos cuantos azulejos y los que allí aguantaban parecían sostenerse de puro milagro, acaso gracias a las telas de araña. Los grifos y la cadena del retrete goteaban constantemente interpretando al piano una deprimente partitura de Chopin. Allí se concentraba tanta humedad y tanta roña que los rincones más oscuros parecían un criadero de hongos y champiñones.

Su próstata, desconcertada por el cambio de aires, obedeció a regañadientes la orden de evacuación. Desolado, volvió a la habitación y abrió la ventana para airearse un poco. Entre los zureos de las palomas se colaba el parloteo coral de los televisores encendidos con su relato matinal de traumas, alucinaciones y abducciones varias, y el griterío de una agresiva discusión doméstica. En el piso colindante, un tipo con un deje suramericano elogiaba de forma soez los cuerpos de aquellas mujeres de realidad virtual que anunciaban por televisión las clínicas de adelgazamiento y los comparaba con el de su mujer. Siguieron reproches de infidelidad, llantos histéricos y crueles amenazas.

El zumbido de un moscardón le distrajo. El insecto no traía buenas intenciones y trazaba ataques en espiral. Tuvo que desembarazarse de él con unos cuantos manotazos al aire. En uno de aquellos arrebatos rasgó la remendada cortina.

Vivales tenía el cuerpo tullido, el ánimo entre las grietas de las baldosas y los labios resecos. Necesitaba salir de allí y tomar una cerveza. Quizá algo más fuerte.

Un vejete de aspecto estrafalario y descuidado, con la barba como socarrada, se arrellanaba en un sillón tapizado de *skay* granate y mataba la mañana a dos metros de la desvaída televisión del comedor. Se desternillaba al compás de las risas enlatadas de la teleserie americana y rezongaba por lo bajo. Respiraba sonoramente y del pecho le brotaba un silbido asmático que concluía con un estertor. Al oír los pasos del nuevo huésped giró la cabeza.

—Buenos días abuelo.

El viejo respondió al saludo con una ligera y teatral inclinación de cabeza.

—Don Fausto Bandarra. Un amigo si vos sos de los que saben apreciar la inteligencia —contestó con voz queda.

El anciano, macilento y sin afeitar, se ajustó las gafas redondas de carey, y sus ojos pardos y legañosos recorrieron la elegante fisonomía del nuevo inquilino con un brillo irónico. Hizo ademán de levantarse pero no pudo, parecía como imantado al sillón.

—¿No se habrá equivocado de hotel? El Ritz está unas calles más abajo... —dijo con sorna, y festejó la gracia con una sonrisa sardónica, mostrando el molar que aún conservaba.

—Acabo de llegar a Madrid y es el primer sitio que he encontrado. Sólo por unos días, abuelo —defendió Vivales, regalándole una de sus tarjetas de visita y estrechándole la mano huesuda.

—Hágame caso, éste es un lugar húmedo e inhóspito, impropio de un licenciado. —Observó el abuelo entre intervalos de tos profunda, arrastrando la palabra «licenciado».

—Ya le he dicho que estoy de paso. Pero no se preocupe, ya he podido comprobar que esta pensión no parece precisamente un balneario.

—Se acostumbrará —aseguró mostrando otros dos dientes sarrosos y tosiendo de nuevo.

—Tampoco a usted le conviene un sitio así don Fausto.

—Ay, licenciado. Llevo diez años en esta mierda y ya es como mi hogar. Le pareceré un boludo conformista, pero acá estoy bien. Este es el precio que tengo que pagar por carecer de una pensión digna y un ánimo disciplinado.

—Pero su salud necesita algo más sano, menos húmedo...

—Esto es lo único que me puedo permitir, amigo. Hay demasiadas variantes en la quiniela de mi vida. Trabajé unos años en la Argentina pero junté poca plata. Podría otorgar testamento sobre su tarjeta de visita. Ay, ya lo decía el inigualable Carlitos Gardel.

Y comenzó a cantar un tango, cerrando los ojos con una expresión ausente, buceando entre las lágrimas de su pasado:

Verás que todo es mentira,
verás que nada es amor,
y al mundo nada le importa,
yira yira.
Aunque te quiebre la vida,
aunque te muerda un dolor,
no esperes nunca una ayuda
ni una mano, ni un favor.

Fausto Bandarra, aunque hubiera preferido hacerlo en Gomorra, nació en Valladolid en el año 36 y con veinte años y dotes de pintor aquel entorno provinciano, sepia y mediocre que le obligaba a llevar una anodina vida de apóstol, se le quedaba muy pequeño. El joven Fausto era un soñador, un idealista enamorado de la belleza y ávido de libertades, y en aquella ciudad de postguerra pasó las de Caín. En aquella ciudad levítica todos los días amanecían tristes y grises, entoldados. Ni corto ni perezoso, en el año 56, el mismo día en que Franco aprobaba la Ley de Principios del Movimiento Nacional, harto de calamidades y hastiado de racionamientos, se apuntó en una lista de la parroquia para marcharse a Buenos Aires. Deseaba cambiar de vida en una patria postiza, buscar algo parecido a la felicidad y hacer fortuna. No soportaba más el aire irrespirable de aquella ciudad apagada inundada de agua bendita, poblada de oscurantismo y música militar. En los años cincuenta la atmósfera provinciana olía a incienso, carboneras, añil y naftalina, a niebla e intolerancia, a fracaso, represión y pecado. En aquellos años, una ciudad como Valladolid, a un joven como Fausto, con el pedigrí de un perro callejero, sólo le podía ofrecer una vida aburrida y sin matices, una vida de subsistencia.

Así que aquello más que una emigración fue una huida. De perdidos, al río. Fausto se marchó con lo puesto y con un montón de pájaros en la cabeza. Ansiaba hacerse hombre y renacer en otro mundo, alternar con mujeres elegantes, liberadas e inaccesibles, y triunfar en el olimpo bonaerense como pintor bohemio y vanguardista. Nunca se llegó a preguntar por qué había elegido Argentina como destino de su evasión y no Canadá o Australia, donde también reclamaban mano de obra. Quizá lo hizo porque allí imaginaba tugurios de mala muerte, sexo a granel, burdeles por doquier y locales arrabaleros llenos de matarifes sentimentales y mujeres fatales, poblados de marineros borrachos y fulanas aferradas a la venérea tristeza de un bandoneón.

En Buenos Aires se convirtió, como diría Cernuda, «en un español sin ganas, que vive como puede bien lejos de su tierra». Y allí, bien lejos de los campos de Castilla, intentó triunfar en variopintas ocupaciones.

Empezó vendiendo a domicilio litografías de las calles de París retocadas al óleo. Aquello no podía salir adelante. Un argentino no es un sueco al que se le pueda vender por doscientos pesos un original de Toulouse Lautrec. Después se convirtió en boxeador, púgil de poca monta y peso medio al que, aunque carecía del menor instinto asesino, los carteles presentaban como «el feroz Toro de lidia». Los tongos, las diferencias de peso y los golpes bajos de los disuasorios tipos de La Boca no le dieron mucha opción en el ring. En la última velada, su manager tuvo que tirar la toalla antes de comenzar el primer asalto. Más tarde se subió al carro de la farándula e hizo sus pinitos como actor de reparto en la Compañía de Teatro de Luis Sepúlveda representando las tragedias de Shakespeare por todo el país. Se trataba de pequeños papeles casi sin frase, pero cuando Fausto salía a escena, volvía loco al apuntador, y más que acompañar, estorbaba. Siempre se colocaba en medio, haciendo bulto y robando plano, ocultando la calavera de Hamlet o el sangriento puñal de Macbeth al patio de butacas.

También trabajó una temporada como locutor en una emisora de radio sólo porque, hartos de lunfardismos, el seco acento español parecía dotar de mayor credibilidad el relato de los desmanes cometidos por Perón, pero los oyentes acabaron dándole la espalda porque abusaba de los silencios y los exabruptos. Ciertamente, no estaba dotado para el medio; demasiado latino, demasiada mímica para la radio. Había sido como contratar a Harpo Marx para emitir el boletín informativo.

Caballo desbocado y sin riendas, el dinero en sus manos se licuaba y se le escurría entre los dedos. Tras unos años de desahogo existencial, de juergas y promiscuidad, (hubo meses que ni acertaba con los nombres de las mujeres con las que se acostaba), sentó la cabeza y se casó con la hija póstuma de Óscar Orlando, el mejor gacetillero del diario *La Prensa*. Un periodista escéptico y aguerrido que se tomaba la crónica de sucesos como si fuera la sección de ecos de sociedad y que, gracias a sus confidentes en los fondos más bajos de Buenos Aires, siempre llegaba al lugar del crimen media hora antes que la policía. Se llegó a sospechar que alguno de aquellos asesinatos que narraba en sus crónicas con pericia forense los había cometido él. La última vez se dio tanta prisa que el cadáver que encontraron decúbito supino fue el suyo. Alguno de aquellos soplones que frecuentaba se le debió acercar tanto a la oreja que no falló el disparo. *Gajes del oficio.* Ése fue el epitafio que el marmolista cinceló en su lápida.

Al cabo de dos años, el pobre Fausto enviudó. Su mujer, Malena Orlando, murió en la mesa del paritorio del hospital de San Carlos. Presintió la imprudencia del ginecólogo, pero la muerte no acepta protestas y la ciencia médica siempre tiene palabras incomprensibles en latín o griego para disfrazar la verdad y sepultar muertos y querellas. Le dijeron también que la niña nació muerta. El *shock* nervioso de aquellos días le impidió realizar cualquier comprobación y dio por bueno el certificado de defunción. Papel de lija.

Desde entonces se percató de la amarga libertad del ser humano y de la inevitabilidad de la muerte, y no levantó cabeza. Con el alma en carne viva, se echó de nuevo al monte de Venus, se dio a la bebida y buceó sin escafandra hasta las fosas abisales de sí mismo. Desató cabos y navegó a la deriva, sin rumbo fijo.

Vagando y divagando por las calles porteñas consumió sus ahorros y sus días, y prolongó sus noches en bares de luces rojas y su desencanto con amor de primeros auxilios. Fausto llamó muchas veces a las puertas del cielo pero nadie le franqueó la entrada. El diablo tampoco dio un duro por su alma. Curtido en mil batallas y en bastantes más botellas, con la ayuda humanitaria de la embajada consiguió regresar a España. Traía el alma ebria y herida, incurable. Aquí continuó siendo un «español sin ganas», un inadaptado al que le costaba olvidar unos cuantos argentinismos, acaso para recordar tiempos mejores.

Fausto Bandarra no logró superar nunca su tragedia. El fracaso artístico y la muerte de Malena le condenaron a una viudez atormentada y solitaria, rayana en la demencia.

El abuelo se alisó el escaso cabello que conservaba y ofreció a Vivales un traguito de la petaca que guardaba oculta bajo el forro de su chaqueta como si fuera un revólver. Respiraba con bastante dificultad, parecía que el aire se le escapara de la caverna pulmonar por otros conductos. La tos se asemejaba a un quejido. Echó un trago largo y entrecerró los ojos.

—Es la dosis perfecta, don Carlos. Cuando la termino se borran de un plumazo los malos recuerdos. ¿Entendés? Es la lámpara de Aladino, desinfecta las heridas del alma —dijo frotando el metal y respirando profundamente.

—No debería abusar, abuelo —le recomendó Vivales tiñendo la voz de un emotivo tono paternalista.

—No se preocupe, no hace falta que vaya encargándome unas misas, yerba mala nunca muere. Acá estoy bien. Odio la disciplina de las putas residencias y los viajes del Inserso. Esta ruinosa pensión tiene un aire porteño que me recuerda los mejores años de mi vida. Ay, licenciado, yo sólo soy un viejo solitario y apátrida.

—No parece que haya mucha diversión por aquí —afirmó Vivales haciendo un gesto de menosprecio al entorno.

—Bueno, no es el Sheraton, pero me gustan los inquilinos —se le escapó una sonrisa y comenzó el recuento con la ayuda de los dedos— Narciso, un joven escritor fracasado, Pandora, una sandunguera belleza colombiana que nació con el sexo equivocado y Elisa, una brasileña que realquila la habitación y el cuerpo cuando se tercia. Las verá poco. Pasan más tiempo en el bidé que en el salón. Ya se sabe como son estas mujeres, de natural promiscuas.

—Cosas del Trópico de Cáncer —apuntó el abogado.

—Ah, de vez en cuando viene por acá un charlatán de Salamanca que vende colchones y habla por los codos; un tipo histriónico y dicharachero de los que ya no quedan, experto en el arte del birlibirloque y diestro en el primitivo oficio del chalaneo, el regateo y la charlatanería. Lo reconocerá al instante, tiene unos ojos tan saltones como los de Peter Lorre.

—¿Quién es Peter Lorre?

—Dejémoslo.

—Me lo pinte como me lo pinte, abuelo, no creo que me convenza. Éste no es precisamente el alojamiento que tenía pensado, pero en fin, las cosas se enredan y las circunstancias me arrastran a ocuparlo temporalmente. Los comienzos siempre son duros.

—Vamos, vamos, no ponga esa cara, licenciado. Esta pensión tiene su encanto, ya verá, ya verá... Es como la corte de Elsinore, un refugio de maniacos. Aquí no hay horarios, orden ni concierto y la anarquía es absoluta. Este quilombo me gusta, amigo. Yo no estoy hecho para asilos, hogares del jubilado o centros cívicos. Don Carlos, yo no estoy hecho para el agua mineral.

Sorprendía su pasión por Shakespeare. Hablaba con devoción de sus novias literarias: la fría Cordelia, la reprimida Ofelia, la diabólica Lady Macbeth y la ardiente Desdémona. En medio de cualquier perorata, añorando su época de actor de reparto allá en la Argentina, soltaba parrafadas enteras de esas obras en un anacrónico tono teatral :

Rechinan las rocas duras y
retemblando inseguras,
romperán las cerraduras
de esta lóbrega prisión...

Un muchacho pálido y regordete que vestía de forma extravagante y andaba un poco encorvado, cruzó por delante de ambos cojeando ligeramente, más por los efectos del alcohol que por las secuelas de la osteocondrosis. Iba con unas bolsas de plástico repletas de botellas y un aspecto como de haber estado cuatro días en vela. Pasó huidizo, parecía que volvía a su refugio pirata después de haber saqueado la sección de licores de un supermercado. Atravesó el recibidor, saludó al abuelo arqueando las cejas a guisa de saludo y subió renqueante las escaleras. Sus tersas mejillas casi ni necesitaban la maquinilla de afeitar y su escaso cabello rojo parecía peinado con gomina, o quizá fuera que desconocía el champú. Subía con dificultad, inclinaba su cuerpo sobre el pasamanos y tanteaba con cuidado los escalones. En alguno se paraba a tomar aire, lívido como un cadáver exhumado momentáneamente de su nicho literario.

—Es Narciso. El pobre diablo del que le hablé Un chico tan atormentado y nihilista como Hamlet. Le falta un hervor.

—¿El escritor con mala suerte?

—El mismo. Se instaló aquí hará cosa de un año para aislarse del mundanal ruido familiar y abrirse un próspero camino entre las faldas del monte Parnaso, pero no levanta cabeza. Malvive como negro literario de un escritor famoso, Arturo Galán. ¿Lo conoce?

—¿Quién no?

—El negrero lo mantiene. A veces le hace algún regalo y le amaña con algún concejal pedáneo un concursito de cuentos. Con una cosa y otra va tirando. El pibe se queja, dice que ese cabrón le explota.

—Le comprendo. A pesar de que colaboran, a los parásitos nunca se les coge cariño.

Fausto se quedó pensativo, echó un buchito de la petaca, juntó las yemas de los dedos y soltó una lapidaria frase de Macbeth:

Su pensamiento, dentro del cual el asesinato no es más que una fantasía, conmueve de tal modo su propia condición humana que toda facultad de obrar se ahoga en conjeturas.

—El chico no parece conversador —dijo Vivales, aún no recuperado de la solemnidad del monólogo, en un tono híbrido entre pregunta y afirmación.

—Sí, es un tipo raro, un chico introvertido que tiene aversión al trabajo físico y se rige por la ley del mínimo esfuerzo, ¿entendés?

—Un vago. —resumió el abogado.

—Sale poco de su escondrijo. Huye de la gente y se encierra en su torre de marfil a escribir con la vana esperanza de triunfar algún día no muy lejano en el mundo de las letras. *Alienta la afición de ser grande, pero carece del instinto de maldad necesario.*

—No es bueno leer tanto, abuelo, ablanda las neuronas.

—El pibe es terco y arrogante, y se forja planes absurdos. Confía ciegamente en su valía. Habla continuamente de sí mismo y se cree excepcional. Fíjese, la otra noche me confesó que estaba escribiendo su obra definitiva. Un diario. La obra colosal que, según él, certificará la muerte de la novela. Entre nosotros —bisbiseó—, está un poco chiflado.

—Muy propio de los tímidos. Es una forma de sobrellevar su soledad. Por lo que cuenta, no es más que un pobre diablo que malgasta su crédito de tiempo —tradujo Vivales.

—No me malinterprete, no es mal muchacho, sólo hay que darle un poco de bola. Ese pelotudo sólo está un poco desorientado. Se lo digo yo.

—Podría ser.

—Le aprecio, pero no tiene gobierno de sí mismo. Un tiro al aire. Tiene treinta y tres años y quiere jubilarse a los cuarenta. Me da un poco de bronca que se eche a perder de esa manera.

—Desvaría. Escribir, según he oído, sólo requiere papel, lápiz y paciencia —aseguró el abogado, amagando un bostezo.

—No va por mal camino. Toda obra es hija del fracaso y de la soledad, y en esta pensión no tiene mejor compañía que sus libros. Lo que ocurre es que el chico le pega —dijo bajando la voz e imitando con el pulgar una botella.

—Muy propio.

—Ya le digo, es una esponja. Pero los sueños de gloria le hacen más daño que las resacas. Ese boludo me cae bien. Y vos también.

—Gracias abuelo.

—Qué le voy a hacer, soy un sentimental. Siento un amor fraterno por todos los fracasados y parias de la tierra. La solidaridad de los vencidos. Serán los tangos. Un tango te confiesa, che.

La televisión permanecía encendida y a un volumen que resultaba imposible obviar; un tono que alteraría los nervios de un sordomudo. Al culebrón colombiano le siguió una tertulia de famoseo barato y chismorreos. Una zafia competición de gritos e insultos, un maratón de confesiones y dramáticos testimonios cuyos tarados narradores sólo precisaban una combinación de treinta palabras para describirlos en toda su crudeza periférica.

El reflejo intermitente del televisor encendido provocaba un brillo agraciado en el rostro del abuelo, que de vez en cuando echaba un vistazo a la pantalla. Su mirada se entretuvo un instante entre el escote de la presentadora y sus pupilas se encandilaron como luciérnagas en celo y le rejuvenecieron.

A pesar de su menesteroso atuendo y sus achaques, de su ajado y ojeroso rostro esculpido de tanto soplar, a decir verdad, don Fausto no tenía tan mal aspecto. Su piel rosácea mantenía cierta vitalidad y su canosa cabellera con ricitos en la nuca, su bigote prusiano y sus sentencias y monólogos teatrales le dotaban de un aire digno y aristocrático.

—¡Maldita sea! La hora de la pastillita roja. Por lo del puñetero asma —aclaró. Y con el pulso trémulo la extrajo de un pequeño pastillero descolorido. Se la tragó con la ayuda del líquido de su reluciente petaca y dijo en voz baja:

—Le hago una confidencia Vivales. Cuando recibo la paga compro la viagra. No le hace bien a mi próstata y tampoco hago de ella el uso procedente, ya me entiende, pero vos no sabés la ilusión que me hace verme empalmado.

El periquito del vestíbulo comenzó a piar desaforadamente. El pájaro se movía histérico dentro de la jaula chasqueando sus alas contra los barrotes y parloteando a su imagen reflejada en un sucio espejito. Aquellos aspavientos anunciaban la presencia cercana de la patrona.

—Parece que se acerca la viuda, átese los machos don Fausto. ¡Esa mujer es todo un carácter!

—Ya lo creo Vivales. Hosca donde las haya, de armas tomar. Un bicho malo y resentido. La gorda vendrá de misa. Espero que tiren el agua bendita cada vez que se santigüe. Pero no se engañe, a pesar del luto, no es viuda. Su marido se fue a por un paquete de Winston y no regresó.

—No me extraña.

—Tampoco era trigo limpio. Tal para cual. El tipo gastaba bigotillo fanfarrón, torso despechugado y cara de pocos y malos amigos. Un hinchapelotas desocupado que, en cuanto cruzaba la calle, se hartaba de piropear a todas las hembras que se cruzaran por su camino. Luego alardeaba de habérselas tirado a todas. Para sus entendederas, todas eran unas putas.

—¿Le trató mucho?

—No crea, paraba poco por aquí. Su ecosistema se limitaba a tabernas, bingos y puticlubs periféricos y sus lecturas se reducían a las cuatro páginas del Marca en la cafetería de enfrente. Cuando regresaba de la cacería, doña Flumencia le cantaba las cuarenta y veinte en copas. Las mismas que él llevaba de Fundador.

—¿A qué se dedicaba?

—A tocarse las pelotas. Estaba prejubilado de la Marconi. Un zángano.

—¡Joder! pues cuando ese tarambana tomó las de Villadiego y se esfumó, la vieja lo celebraría por todo lo alto, ¿no?

—Que va, que va, todo lo contrario. Le hacía la vida imposible pero desde que la abandonó, a doña Flumencia se le agrió aún más el carácter.

—Qué contrasentido. ¡Bendito de Dios, puente de plata...!

—¿Conoce el síndrome de Estocolmo? Preguntó el abuelo ahogando la tos.

—Me suena.

—Unos tipos atracaron un banco en la capital sueca. La cosa parece que se torció y tomaron rehenes. Y lo que es la vida, Vivales, sólo al cabo de cinco días las víctimas ya protegían a los captores con sus cuerpos para evitar que los pobres fueran tiroteados por la policía. Después, incluso, declararon a su favor en el juicio, y al final, tres empleados abandonaron despechados el Banco y la cajera se casó con uno de sus secuestradores. ¿Entendés?

—Cuesta hacerlo.

—Pues la gorda igual que aquellos nórdicos tarados. Desde el día en que se fugó su rupestre marido su boca no recuerda lo que es una sonrisa. Se ha convertido en una mujer malencarada, huraña y deslenguada. Está amargada y la paga con nosotros. Ya lo ve, su única familia. Cría cuervos. Algún día él volverá y lo recibirá como si tal cosa, como si no hubiera pasado nada, como si sólo se hubiera retrasado unos minutos en el estanco. Cosas de la vida.

Fausto Bandarra intentó rememorar un tango:

Que el mundo fue y será una porquería, ya lo sé...

La proximidad de la patrona y un acceso de tos metálica que parecía nacer en las profundidades de las entrañas le apagó la voz.

—¿Qué anda rumiando viejo chismoso? Envaine su lengua o se la corto —amenazó la patrona con una mirada que delataba que podría ser capaz de hacerlo.

El periquito volvió a chillar desaforado y a intentar cabriolas agilísimas dentro de la jaula. Esos aspavientos anunciaban otra visita.

—Pandoora, Pandoora, Pandoora —cotorreaba con una voz casi humana.

Tras la maquillada cara y el ceñido cuerpo de una mujer, se oyó

una voz masculina muy ronca:

—Es su día de suerte, aquí llega el pendejo de Cali. Miren qué chévere.

Y Pandora dio un par de vueltas sobre sí misma. Lo de belleza colombiana era, sin duda, una licencia petrarquista que el abuelo regaló a Vivales cuando la describió.

El transexual llevaba un estrambótico y ajustado vestido plateado hecho con cedés musicales a guisa de lentejuelas que tenía dos circunferencias abiertas a la altura de los senos y unas plumas de guacamayo en los tirantes. Paseó su boquita pintada, su cabello negro con mechones de zanahoria y su uno ochenta de estatura por la sala de estar ante la mal disimulada mirada calenturienta de Vivales, famélico de sexo desde ni se sabe cuando. Pandora caminaba como si pisara brasas y movía las caderas frenéticamente cantando algo así como: *Whenever, Wherever*, empuñando un abanico a guisa de micrófono. El pase no permitía distinguir muy bien si se trataba de una mujer atrapada en el cuerpo de un hombre o de un hombre burdamente disfrazado de *drag-queen*. Su cara, de rasgos muy duros, picada por las secuelas de la viruela y embadurnada de polvos de talco y colorete, parecía la máscara de una ópera china pintada al gotelé. Apestaba a colonia barata y exageraba los inexistentes rasgos femeninos de una forma patética.

—Se te ve muy bien, Pandorita —dijo el abuelo, intentando un remedo de aplauso.

—Ay, papito. Gracias —contestó al abuelo, con sonrisa pícara y fingido embelesamiento. El transexual se compuso el vestido e intentó inútilmente excitar al viejo aproximando las siliconadas tetas a su rostro. El abuelo reaccionó tarde y sólo llegó a pellizcarle las nalgas.

—¡Qué lolas tan bárbaras, Pandora! —le dijo.

—Preséntame a tu amigo, papito, que está más tenso que la cabuya.

Afiebrado por una cuarentena sexual que estaba durando ya demasiado tiempo, Vivales se ruborizó.

Pandora era la *prima donna* de un club de alterne llamado Mogambo. Un garito de mala reputación y peor clientela donde bailaba salsa e imitaba a Shakira. El local era una mezcla de cabaret de feria, teatro de Manolita Chen y puticlub de carretera.

Les relató en una extraña jerga colombiana y con un vozarrón áspero que desmentía su femineidad los divertidos avatares de su existencia. Les contaba que venía alocada de la manifestación del orgullo gay más wendy y más chévere de los últimos años, y que había vuelto en un taxi casi tan grande como una limusina con unos babosos hijos del sol naciente que hasta la grabaron en vídeo dentro del coche.

—¡Qué parranda! ¡Bacano! Les cuento. Lerner, un putón verbenero que trabaja conmigo en el Mogambo, que iba de barbie diablesa, culiando, azotando la baldosa, locota del todo, se puso chinche y le dio por empelotarse allí mismo. Momento gozón. El muy güevón quería bañarse en bolas en la Cibeles delante de unos aguacates que ya nos habían calado y nos vigilaban de cerca. Y allá nos quedamos las dos chinches, rezagadas del cortejo, al lado de una sirena de la policía que me estaba volviendo loca, y enfrente de unos extrañados japoneses que no paraban de hacer fotos digitales y de patearme el trasero. Esos chuchumecos nos trataron como fufurufas. La loca de Lerner, de tanto barullo, bandera arcoiris y puterío, se emocionó tanto que decidió montar un numerito lésbico de salir en los telenoticieros. ¡Allá mismo! ¡Qué chévere! Pena que se lo impidieron. Luego, esa gata encelada echó los perros a un bombón moncherí de policía que revoloteaba por allí, tenían que haberla visto, ¡qué putón! No se lo pierdan, le confundió con un mariposo del desfile, uno de los de la carroza de Village People. Bueno, pues la muy pendejo le toreó con el abanico y le plantó un beso con lengua. ¡Bacano! Incluso se colocó la gorra del oficial a lo ama dómina, haciendo el oso. ¡La bestia! Pues bien, se armó la chupamelculo, con los espectadores patiquietos, más quecos que una tuqueca, jaleando a esa perra arrechísima que casi tenía la pinga al aire. De morirse. El policía se puso mosca y la abofeteó más fuerte que Gleen Ford a Gilda. Yo ya no le seguí la corriente a esa perra en celo, no. Salí disparada, a la carrera, que casi me atropella un taxista cabrón. Sí, me largué bufando, que Pandora es parrandera pero no es tan pendejo. Y después de la nochesita que lleva encima, Pandora está lenteja, lenteja y, o se pone una línea de perico o duerme como un lironsito doce horas seguidas.

Volvió a girar alocadamente con sus plateadas botas de plataforma que parecían zancos y dio como una especie de *pas de deux* de El lago de los cisnes. *Whenever, Wherever.* Se despidió a la francesa dejando al periquito y a los dos atónitos espectadores, que no se habían enterado de casi nada, embobados.

EN ESTA HABITACIÓN LOS DÍAS PASAN MUY DESPACIO, como a cámara lenta. El tiempo aquí no lo traducen los relojes, transcurre a un ritmo calmoso que desquicia.

Estoy escribiendo de encargo y a regañadientes la historia cotidiana de esta mugrienta pensión (aunque la patrona se empeñe en llamarla hostal con solera o fonda con ligero aire decadente) y cuando me canso, como ahora, me entreno con este diario.

Parada y Fonda. Un algodonar más para el negro, un recado más de Marcela Sumalavia, la agente literaria de Arturo Galán. Ellos no conocen esta puta pensión, pero quieren que en este claustro me inspire y escriba una especie de bestiario de Madrid.

Le odio. El muy cabrón luego se dedica a retocar mi estilo y amputa todos mis aciertos, mutila parte de mi alma. Ese es mi drama y mi tormento, que mis palabras encofren un discurso ajeno. Y la palabra sólo es útil si es cierta, si transparenta las propias ideas. Por eso a mí ya se me ha secado la fuente. Cualquier día, sin que se dé cuenta, le plagio algo de Rayuela, aquello que le dicen a La Maga de que París es una enorme metáfora. ¡Que se joda!

Admiro su éxito (que en parte es el mío), pero odio su maldita sonrisa de triunfador y deseo su muerte (aunque quizá esto le encumbrara aún más y de paso acabara con mi curro). Resignación, de nada sirve culpar a los demás de las derrotas propias. Soy un escritor por cuenta ajena. Derrocho metáforas y ocurrencias para otro. Ésa es mi cruz. Vendo por un plato de lentejas la paternidad de mis frases y las doy en adopción.

En el mundo de la literatura, esa mezcla de gloria y excrementos, no existen las pruebas de ADN. De eso se valen los cabrones como Galán. Quizá Marcela tenga razón: ¿Acaso mis palabras valen algo sin su firma?

Mi vida es tan insulsa y tan triste que no me queda más remedio que inventar historias para lucimiento ajeno y comerme este marrón y estas lentejas. Las tomas o las dejas. Ese vampiro me está chupando la sangre. Lo sé. Un día se me cruzarán los cables y le haré una visita de cortesía con el crucifijo y la estaca, con las mismas intenciones con las que Van Helsing se presentaba en la cripta de Drácula. Para combatir a un canalla es preciso ser otro canalla.

Cuando mis metáforas y mis fuerzas se agotan se apodera de mí una peligrosa sensación de frustración que estimula un sentimiento muy parecido al odio. Sí, le odio y clamo venganza. Debería ponerme en mi sitio y negarme a escribir de encargo.

La literatura es perversa y siempre hizo infelices a los hombres. Es la droga más cruel. Sin que nos demos cuenta nos engancha, nos aleja de la realidad y nos impide conocer la vida. Es la lucha constante, la búsqueda permanente del sucedáneo, el eterno retorno. Hay obsesiones como ésta que le destrozan a uno la existencia y frustraciones de las que no te recuperas nunca.

La literatura es un peligroso narcótico. Pero las letras me hacen olvidar mi vida perra, mi oscuro pasado y mi negro destino, crean una ficción tan parecida a la realidad que me abandono satisfecho en este mundo imaginario sin compensación posterior. No hay premio ni bola extra.

Aunque me empeñe, aunque me deje los cuernos en la empresa, no creo que sea capaz de escribir un diario. Esto es sólo un desahogo. Apenas puedo hallar palabras para expresar lo que siento y tampoco me interesa lo que ocurre a mi alrededor. Nada. El aburrimiento vano y cotidiano. Supongo que todo lo que necesito es amor y escribo en busca de afecto. Y el diario es sólo para mí. Puro onanismo.

Debes luchar por lo que quieras ser, decía mi padre, pelear por un ideal a vida o muerte. El pobre desgraciado debió dudar de su propio consejo o lo malinterpretó.

Era librero. Teníamos una pequeña librería-papelería en Chamberí que subsistía gracias a la venta de la prensa diaria, las revistas porno, y del 30% que le dejaban los libros de Pérez Reverte, Isabel Allende y Claudio Coelho. Un negocio no muy próspero que fue de mal en peor. En casa creíamos que nos permitía ir tirando, pues siembre se veía a mi padre aparentemente satisfecho entre sus libros de poesía y sus lascivos desplegables satinados. Un intelectual autodidacta. Su única desgracia, decía, era tener una mujer ágrafa, exigente y posesiva, y un hijo melancólico que nació con osteocondrosis, un filólogo cojo que ya ni renovaba los papeles del desempleo. Un haragán.

Se mató tirándose al tren. Todo cambió el día que comenzó a visitarnos un tipo vestido de Pantera Rosa. Ebrio de deudas y ocultos sufrimientos, desmoralizado, hundido y maldiciendo su mala racha optó por una incesante huida hacia delante y confundió la luz al final del túnel con los faros del Talgo Madrid-Irún. Fue su manera de superar el fracaso y descansar en paz, de acabar con una vida llena de sinsabores y facturas, su único gesto valiente. En un bolsillo de su chaqueta el forense encontró una nota que decía: La vida es una broma pesada que sólo hace gracia a unos pocos.

No hubo tiempo para devolverle los consejos recibidos. Mejor así. Aunque si se sufre, decía Freud, es porque el recuerdo sigue vivo. Sé que defraudé la ilusión que tenía depositada en mí, la privilegiada condición de hijo único. Es duro. Era mi padre. Es como si lo hubiera matado yo.

Mi madre, María, cayó entonces en una tremenda depresión pero ha salido adelante. Ha convertido definitivamente la librería en quiosco y así va tirando. Voy a verla muy de tarde en tarde. Es porque me avergüenzo de mí.

Hace un par de años asesiné a Edipo y me independicé, si es que a esta puta vida se le puede dar ese nombre. No me parecía digno que un tipo de más de treinta años siguiera consumiendo la vida de su madre. Bastante tengo con consumir la mía. Ya soy un hombre hecho y derecho, hecho y desecho, más bien. En el Edipo de Sófocles la esfinge ejecuta el castigo. Conmigo se está cebando la muy puta.

Me he independizado sí, pero no sucumbo al envilecimiento de los demás mortales. Valle-Inclán decía que un escritor no debe madrugar. Yo no soy como los otros, sigo al pie de la letra ese consejo y lanzo el grito de guerra de Rimbaud: ¡nunca trabajaré!. Sería impropio de alguien como yo, soy un erudito.

Hoy he releído las *Historias de cronopios y de famas* de Cortázar. En realidad me pasa como a los cronopios, que no quieren tener hijos¿Para qué? Yo también veo en el hijo la acumulación de las desdichas del padre. Yo también soy un fracasado como él. Una calamidad. Carezco de pasado y de futuro, y mi presente se reduce a malvivir escribiendo historietas para otro. Nada en mi vida presagia algo parecido al éxito. Aún así, sigo adelante. He borrado muchas veces la palabra fin.

Recuerdo un cuento de Chéjov. La historia de un niño huérfano que vive con el abuelo en una aldea perdida. El viejo desea para el chico un mundo mejor fuera de aquella desolación rural. Se lo confía a un buhonero para que se lo lleve a Moscú y le procure un trabajo y un futuro mejor. Antes de despedirse le regala una brizna de esperanza: «si lo pasas mal, escríbeme. Yo iré enseguida a por ti. No debes preocuparte.» En Moscú el niño es tratado como a un perro, trabaja a destajo, apenas come y ni le dejan tiempo para dormir. Un día ya no puede más y recuerda el consejo del abuelo. Por fin se decide a escribir una carta pidiéndole auxilio: «Abuelo, no puedo más, sácame de aquí. Voy a morir». Con toda su esperanza puesta en aquellas letras, deposita la carta en el buzón. En el sobre ha puesto: «A la aldea. Para el abuelo».

Yo soy ese niño. Nadie vendrá a rescatarme.

Parada y Fonda. Doy vueltas por este sórdido cuarto, sorteo las desencajadas baldosas como un supersticioso tahúr, buscando sin éxito las palabras justas para la novela apócrifa. Me canso a las primeras de cambio y me atiborro de patatas fritas y frutos secos. Hago con el papel una pelota.¡Canasta! Es la jodida angustia del folio en blanco.

Un trabajo como otro cualquiera, me dice su agente. ¡Hay que joderse! Soy un desdichado sin profesión conocida. La gloria para Galán y el infierno para mí. Soy un escritor malogrado. Quizá no deba ser tan pretencioso. Tacho el sustantivo. Sólo soy un tipo malogrado, un neurótico más con un folio y un bolígrafo. Un vulgar remedo de Kafka, una pésima reencarnación de Baudelaire, un surrealista a destiempo. Intento a duras penas seguir su consejo y ser sublime sin interrupción, pero me quedo en caricatura. Yo no quiero ser un escritor clandestino, ignorado y frustrado como ellos. Yo quiero triunfar en vida.

Me hace falta un diván, pero no tengo dinero ni para concertar la cita con el especialista, así que tendré que recurrir al viejo. Fausto es medio argentino y seguro que tiene nociones de psicoanálisis. Siempre me ofrece algún consejo. Ayer, mientras procurábamos comer la bazofia de la patrona sin vomitar, me recitó unas frases de la hierática Lady Macbeth: *Alientas la ambición de ser grande, pero careces del instinto de maldad necesario*. No sé exactamente lo que quiso decir. A mí se me ocurrieron un montón de barbaridades, pero el viejo no ofrece más explicación, suelta la frase con su tono engolado y teatrero, se acaricia el bigote y se queda tan pancho. Allá vos con las interpretaciones, me dice.

Necesito que una de esas psicoanalistas indague en mi vida desde la cuna, que bucee en mis zonas más íntimas y desvele el lado oculto de mi obsesiva, caótica e inexistente sexualidad, que me certifique que en realidad no odiaba a mi padre, que modere mis bajos instintos y que me convenza de que mis sueños no son pesadillas. Que me asegure que sólo soy un tipo extraordinario con algún problema de identidad que escribe textos psicóticos y geniales imposibles de publicar, ajenos a la lectura vulgar y a la aprobación social de mis contemporáneos. Quizá más que un psicólogo necesite un psicópata que comparta mis dudas criminales. O un anestesista.

¡Qué chicharrera! Bañado en sudor veo como se aparean las moscas. Entran y salen como Pedro por su casa por la ventana rota de la tronera y se hartan de revolotear por encima de mi cabeza. Así no hay forma de concentrarse. En esta puta pensión las ventanas son como mis heridas, cierran mal. Vuelvo a lo que he escrito y enciendo un cigarrillo, agujereo con él los adjetivos de comparsa. Adelgazo la grasa de mi prosa sonajero. A Galán no le gustan los fuegos artificiales. La paja la prefiere de su cosecha. Para fanfarrias se basta y se sobra él. Yo sólo soy su Mr. Hyde cañero e irreverente. Ya me lo advierte Marcela con su insoportable tono de sermón y su voz de pito: Mañana esmérate, la columna de *El Mundo* ha de ser incendiaria.

Ella dice que para hacer un buen artículo sólo hace falta sentido común, sentido del humor y sentido del ridículo. Todos esos sentidos de los que carece el cabrón de Galán. ¡Joder! casi me quemo con la colilla. Fahrenheit, 451. La misma temperatura a la que arde el papel. La misma a la que arden mis bajas pasiones. Ay.

Parada y Fonda. Aún no he pasado de la primera página. Necesito echar un trago. La saliva me amarga el paladar. Todavía conserva el maldito regusto a sello de correos de cuando enviaba copias de mis novelas a concursos y editoriales. A pesar de las maledicencias que circulaban por ahí, yo aún confiaba en aquellas falaces convocatorias. Iluso. Todo es mentira. Por fin he descubierto que la vida no es un cuento de hadas, es como una mala novela negra. La diferencia es que en la vida no siempre se puede escoger el papel de detective seductor e irresistible, puede que la muy puta nos tenga reservado el de víctima, o el de asesino.

Antes me conformaba sólo con escribir, pero ahora mis alcoholizadas y subestimadas neuronas quieren mudarse al cerebro de un tipo rico, alto y guapo como Arturo Galán. Un triunfador. Eso me hace la vida imposible. Ignoro cuantos asaltos tiene este combate pero sospecho que ya son demasiados, que la pelea está amañada y yo empiezo a parecer un púgil sonado.

Este vicio solitario que me encadena a la silla y deforma mi cuerpo no me hace ningún bien, sólo me procura dolor cervical y desasosiego. Lo que sí estoy consiguiendo es una depurada letra de psicópata. Noto que la letra es cada vez más pequeña, torcida y puntiaguda, y que se me desvían las líneas. Será el jotabé. El trago parece que hace su efecto y me imanta con fuerza al duro banco. Entregado al cultivo de adjetivos y metáforas, al robo de ideas kafkianas, escojo palabras absurdas que no son capaces de expresar la inefable quemazón de mis heridas, decir lo indecible, explicar lo inexplicable. Será el jotabé.

La literatura ni se crea ni se destruye, sólo se transforma. Debo borrar esta estupidez de mi diario y prestársela a algún personaje de Galán. Ni siquiera el botín de frases ajenas, palimpsesto extravagante de todas mis lecturas, es capaz de hacer avanzar la puta novela de encargo. *Parada y fonda* sigue parada.

Releo *La Metamorfosis* de Kafka. Dicen que leer a otro fracasado infunde cierto optimismo, pero yo creo que es peor el remedio que la enfermedad. Pienso en ello y echo un trago largo de whisky. Miro la botella. Mi pentotal de cuarenta grados. Al final, el alcohol pone en evidencia lo que soy: otro perdedor.

Hoy me he levantado deprimido, ya me acosté así. Parece que toca hacerse preguntas trascendentales: ¿A dónde vamos? ¿De dónde venimos? ¿Cuál es el sentido de la vida? ¿A quién le interesa la gloria póstuma? Yo ni siquiera tengo un amigo como Max Brod que pueda traicionar mi voluntad. Yo ni siquiera tengo amigos. Sin venir a cuento rompo a llorar. Las lágrimas destiñen lo poco que he escrito. Puta.

Me acuesto en el jergón. Como un Cristo yacente observo las goteras del techo y los cercos mohosos de esta capilla sixtina de la suciedad. Estoy cansado de estar cansado y aburrido de aburrimiento. La deshilachada cortina filtra una luz rojiza y apagada que me deprime aún más. Es lo que me faltaba. Echo un vistazo a mi alrededor y me hundo en el camastro. Sobre la única silla del cuarto reposan *La conjura de los necios* y *Erecciones, eyaculaciones, exhibiciones*, *El Aleph* y *El oficio de vivir*, *La náusea* me ha servido para calzar la mesa camilla. Coja como yo.

Los rincones están llenos de periódicos atrasados con las columnas apócrifas de Galán y cómics manga, de libros a medio leer y botellas medio vacías. Tengo la habitación como una leonera. Un espejo grande y roñoso, con la luna picada de moratones, duplica el desorden y la tristeza. No quiero acercarme a él y echar un vistazo a mi cadáver. No quiero enfrentarme a ese rostro mal afeitado y demacrado, a esos párpados malvas, a las ojeras encallecidas, a esa frente prematuramente surcada de arrugas. No, no resistiría semejante careo. Por eso me prescribo alcohol y vendas de papel impreso para mis heridas. Así tapo mis ojos.

Ovillo el cuerpo sobre la cama añorando el paraíso amniótico y el cordón umbilical. A veces miro mis fotografías y me pregunto por qué aparezco siempre con esa estúpida sonrisa, por qué cojones simulo felicidad ante una cámara. Me martirizo y me fijo en ellas. Soy tan narcisista como Dorian Gray. Las tengo en unos cutres portarretratos de plástico que regalaban comprando dos botellas de jotabé. Ajuar y dipsomanía. Gracias a mi afición a la bebida he decorado mi habitación de sonrisas forzadas y luciferinos ojos rojos. La he llenado de fantasmas. Mi ilustre panteón.

El espejo y el diario quizá sean la misma cosa. Es como jugar un solitario: las cartas boca arriba. Sólo así puedo reconocerme, es la única manera de vigilar mi lamentable estado. Pero me temo que no lo estoy escribiendo como una vulgar terapia de curandero, supongo que el diario no es más que la exaltación de mi narcisismo.

Por eso odio mi maldito nombre: Narciso. No tengo a nadie a quien impresionar, a nadie a quien seducir, a nadie a quien querer. Me ahorro el fracaso de intentarlo.

Detesto este diario. Son sólo palabras para un único lector que nacen muertas. Más que una biopsia es mi propia autopsia. La sala de disección de mis sentimientos.

Pero no abandono, no tiro la toalla. Sigo luchando por abrirme paso entre las letras, a vida o muerte. Es muy fácil descalificar la presunción y el narcisismo, y tacharlo de vanidad y soberbia. Ignoran que es la condición necesaria para ponerse a escribir. Es nuestro pecado y nuestra penitencia.

Aunque acostado se ha hecho bastante incómodo, he logrado terminar el artículo vicario del periódico. Una columna a vuelapluma con exceso de carga, aparatosa y políticamente incorrecta. Un lenguaje patibulario y mostrenco que a mí me parece ridículo en boca de un tipo pretendidamente delicado como Galán. Eso es lo que quieren, a cambio de un ignominioso estipendio. Maldita usurera.

Estoy a dos velas, con el dinero justo para ser considerado un indigente. No tengo donde caerme muerto y sólo puedo aspirar a una pequeña esquela en periódicos de anuncios gratuitos y a un ataúd de segunda mano. Malvivo puteado por Arturo Galán, escribiendo sus espantosas novelas homosexuales y sus cáusticas columnas de opinión. He prostituido mi talento. La prostitución más abyecta, la del espíritu.

Marcela Sumalavia, su agente y confesora, echando más leña al fuego, me dice que me considere como un donante de riñón. A mí me sobra uno y he ayudado a salvar la vida de una celebridad. Eso me carcome el alma. Echo otro trago. Al paso que voy será él quien tenga que donarme el hígado.

Mientras pienso en ello y me cacheo el alma, me aferro otra vez a mi tabla de salvación. La línea de flotación de la botella verde ya llega a la altura de la Reina Victoria y seguramente tenga que pedir refuerzos. Dicen que no conviene mezclar pero echo mano del alabardero inglés que hace las veces de pisapapeles. Bebo sin que haya nadie a mi lado para brindar, ni motivos para hacerlo. Bebo. Por los buenos tiempos me digo. Nunca los hubo. Nunca he tenido suerte en la vida. Nunca he ganado nada en la ruleta de la fortuna. La bolita del destino siempre ha terminado cayendo en el color negro. De lo que sí estoy seguro es de que acertaría de pleno jugando a la ruleta rusa, aunque me apuntara con la culata.

Esta mañana he cargado el camarote de provisiones. Pero todos los necios se conjuran contra mí. El judío narigudo de la tienda de enfrente siempre que tiene oportunidad me humilla. Hoy, sin ir más lejos, delante de todas las señoras que estaban calibrando las ofertas del suavizante y esperaban su turno en la caja, me ha llamado lisa y llanamente borracho. Así, sin ambages.

«¡Qué, vaya juerga que os vais a correr! —decía el muy cabrón con una entonación maliciosa, acentuando el plural— deberían condecorarte los del servicio de limpieza por reciclar tanto vidrio» añadía el hijo de puta, inmune a mi desolación,sólo para abochornarme delante de aquellas escandalizadas madres. Tengo que cambiar de supermercado.

Hasta que dejé de ir, en el vídeoclub del barrio me ocurría tres cuartos de lo mismo. La chica que lo atendía, no conocía el significado de la palabra discreción, ni perdía oportunidad de afear mis gustos cinematográficos. Y eso que se trataba de buenas películas, de esas rodadas con cámara al hombro, fluidas y sin tiempos muertos:

—*Travestis en celo* y *Pasiones bizarras en el parque de bomberos* ya están alquiladas —decía a voz en grito ante el atestado mostrador. A la muy zorra sólo le hubiera faltado anunciarlo por megafonía. No he vuelto por allí porque en mi pequeña televisión con vídeo incorporado, al día siguiente de expirar la garantía, se atoró una de aquellas cintas: *Zoofilia perversa.* Para evitar que en El Corte Inglés se enteraran del tipo de películas que enriquecían mi conocimiento del séptimo arte intenté extraerla yo mismo. Aquella fue una decisión nefasta. El bricolaje y las reparaciones domésticas siempre me han dado alergia. Con la ayuda de un destornillador desmonté el aparato pero agravé la avería y lo terminé de joder. La televisión ni siquiera funciona y la cinta de vídeo sigue allí.

Cierro por hoy el diario. Nunca debí haberlo empezado. Sólo es un prospecto farmacéutico repleto de contraindicaciones y efectos secundarios, un testamento ológrafo sin ninguna validez, un atascado sumidero por el que se desaguan a duras penas mis angustias y mis frustraciones. Un desahogo existencial propio de adolescentes frágiles e inseguros.

Soy un insensato. No puedo detenerme a reflexionar porque no cuento con amarras para atar el pensamiento, que vaga, perdido como una barca, por el proceloso mar del alcohol y la inconsciencia. Este onanismo mental no conduce a nada. Basta repasar la extensa nómina de suicidas que también escribían diarios. Eso demuestra a las claras que es una terapia desastrosa. Estos papeles me desnudan, me vacían el alma poco a poco y me desahucian. Mostrar en canal mis sentimientos más ocultos sólo me procura demoniacos impulsos cautivos que me empujan a hacer astillas el espejo. Me incitan a retener un trozo homicida en la mano.

Desorientado, acabo como siempre, solo y llorando ginebra. No sé la hora que es pero es tarde, sólo he escrito una página de *Parada y Fonda* Voy a vomitar.

ANTES DE ADENTRASE EN LA ESPESA JUNGLA URBANA en pos del triunfo, el abogado Carlos Vivales decidió darse una ducha. Era curioso, a pesar del bochorno exterior, aquel baño interior tenía la temperatura de un frigorífico. Tuvo que ensayar unos cuantos saltitos para entrar en calor. Otro misterio más del Hostal Carlos II. Para colmo, del grifo de agua caliente sólo fluía un chorro pardusco y helado. Esperó un rato pero el panorama no cambiaba. De un salto se coló con valentía bajo la ducha que, sin previo aviso, cambiaba bruscamente la temperatura del agua. La conmoción hizo que zapateara como un bailaor de flamenco. Se enjabonó con rapidez y cuando dio por concluida aquella tortura escocesa se dio cuenta de que no tenía toalla. A punto estuvo de resbalar en la bañera. Cuando recuperó el equilibrio, huyó empapado hasta la habitación. Su escaso cabello se había atiesado como si hubiera recibido una potente descarga eléctrica. Una vez recuperado del suplicio, se vistió de nuevo con el traje que, por desgracia, ya se había impregnado del tufillo mohoso del armario, y bajó al vestíbulo.

—¿Qué tal la ducha, amigo? —preguntó el viejo.

—Es difícil de explicar, don Fausto. Una prueba de fuego.

—Ya se acostumbrará...

—Espero no hacerlo.

El abuelo estaba escuchando la radio. Pusieron un tango. *Ese reptil de lupanar.*

—¿Oíste, amigo? Un mate amargo. *Tomo y obligo.* Es Gardel. Cada día que pasa canta mejor.

El abogado salió a la calle en busca del tiempo perdido, intentando arrimarse a la estrecha umbría que proporcionaban los pequeños balcones oxidados y tanteando las monedas que llevaba en el bolsillo. Un aleteo de palomas le dio la bienvenida y una bofetada de sol le cruzó la cara. El canturreo de un bolero con acento cubano atrajo su atención. *Espérame en el cielo.* Una preciosa mulata tendía una colección de exiguas braguitas de colores. Era de esa clase de mujeres a quienes resulta inevitable imaginar desnudas. A esa hora, la luz era picante y provocaba el guiño constante de sus ojos. El sol plomizo, en lo más alto del cielo, le deslumbraba y le obligaba a desviar la mirada y las calenturientas ensoñaciones.

Carlos Vivales no llevaba muchas cartas bajo la manga pero eso, por el momento, no le inquietaba demasiado, siempre había jugado de farol.

Dejó el bravío Cantábrico de su pueblo natal para ahogarse en el Tormes. Un río donde hasta los peces nadan a pie. Un buen día sus sacrificados padres decidieron invertir sus ahorros en el hijo que creyeron más despierto, le indultaron de la sucia vaquería y le enviaron a Salamanca a estudiar la carrera de Derecho. Ya en el segundo curso se torció el rumbo paleto, convirtiéndose de la noche a la mañana en un bala perdida. El día de San Fermín de 1982, fue una de las ochenta mil almas que vibraron a cuarenta grados de temperatura con los Rolling Stones en el Vicente Calderón. Deslumbrado por lo que allí vio y excitado por la sofoquina, *Sympathy for the devil*, se dejó arrastrar por aquella nueva y seductora tentación tribal. Aquella fascinación transformó definitivamente su mente de pardillo y hasta su sonrosado semblante. Pensó, como sus satánicas majestades, que el tiempo estaba de su lado y que no podía perderlo de cualquier manera.

Y la movida le agitó tanto que le mareó. Absentismo, huelgas estudiantiles, notas falsificadas, greñas, camiseta negra, chupa de cuero y pantalón vaquero marcando paquete. Un macarra asilvestrado, obsesionado por el rock and roll, que aparcó el Derecho Romano para dedicarse a la producción de grabaciones de varios grupos locales a los que arruinó definitivamente la trayectoria. Incluso tocó el bajo en la banda Los Six Fingers Lo hacía de oído, como la estatua de Bill Wyman, con los dedos tan agarrotados por la marihuana que no acertaban ni a rasgar las cuerdas.

Les contrataban como teloneros, nunca mejor dicho, por su eficacia para desalojar los locales donde tocaban. Era improbable que el público aguántase más de cuarto de hora aquel desaguisado musical, así que cuando el empresario de turno quería echar el telón a su hora sin expulsar de mala manera a la clientela, lo mejor era terminar la velada con Los Six Fingers. Entonces el local se desalojaba ordenada y rápidamente.

Vivales cinceló las facciones de su rostro con juergas e insomnios y con el tiempo acabó teniendo el siniestro aspecto de Keith Richard. Tampoco hubiera hecho falta tanto empeño pues la gracia que no quiso darle el cielo tenía más que ver con la física que con la química. Estaba claro que la comadrona no había sido muy diestra con el forceps.

Fue sólo rock and roll pero le imantó la brújula. Así que los desmelenados años ochenta desfilaron ante sus ojos como piedras rodantes entre novias punk, Pepi, Luci y Boom, porritos, buhardillas y otras chicas del montón. Todo compartido.

Su familia estaba en la inopia. Los engañaba con silencios y falsos notables, haciéndoles creer, orla y fotografía togada incluida, que iba superando los cursos con notas brillantes.

Pero un día todo cambió. La facultad se llenó de niños posmodernos y niñas pijas fashion-victims que le ninguneaban y no le prestaban ni su atención ni sus apuntes. Los ambientes comunes se hicieron más discriminatorios y elitistas, y la competencia se hizo tremenda para un eterno adolescente reenganchado como él. Pasó de exitoso rocker maldito a macarrilla chabacano y hortera.

El sexo también le dio la espalda. Las chicas ya no eran tan guerreras ni tan contestatarias, averiguaron que la promiscuidad no les beneficiaba y ya sólo se acostaban con su novio, su jefe o su profesor. A ninguna le interesaba un tarambana como él sin oficio, beneficio ni pedigrí.

Inerme ante los nuevos tiempos, la necesidad y la incertidumbre le hicieron despabilar sobre la marcha y sentar un poco la cabeza. Aprendió el honorable oficio de la picaresca administrativa y judicial de chico-para-todo en gestorías y bufetes de abogados marrulleros, y sustituyó el antiguo trapicheo de papelinas por el de papeles timbrados. Carlos Vivales aceleró el periodo de adaptación y en poco tiempo se hizo un experto en falsificar firmas, embarullar documentos y marear a funcionarios. Pronto se convirtió en un avezado chupatintas que, a la chita callando, controlaba los pufos y entresijos de la gestoría con más desparpajo que su propio jefe. Había nacido un camaleón. En una de estas aventuras especulativas entrampó más de la cuenta a un acaudalado ganadero de Peñaranda de Bracamonte y como gato escaldado tuvo que salir por pies de Salamanca.

El sol del mediodía golpeaba de lleno el asfalto. Enfrente del Hostal Carlos II, una cafetería que parecía no haber sufrido ninguna reforma desde la muerte de Franco le deslumbró con sus enormes cristaleras. Al lado de aquella muestra de arquitectura pop había una tienda de ultramarinos, de cuya sección de bebidas Narciso Suances era el mejor cliente, que parecía rescatada de la tramoya de *Doña Francisquita*, y en la esquina se atisbaba lo que parecía el portón de una discoteca emborronado de pintadas soeces y firmas ilegibles.

El bar tenía una decoración tan *kitsch* que su utillaje provocaría colas en el Museo de Arte Moderno de Nueva York. Estaba repleto de sillas azulonas de plástico y butacas de escay color malva, vidrieras ojivales con arabescos, lámparas de imitación japonesa e indefinibles ornamentos de colores desvaídos de toda la gama de rojos, naranjas y amarillos. Aún así, la abigarrada policromía marearía a un daltónico. Una máquina tragaperras disparaba de forma intermitente una estridente versión del estribillo de *La vie en rose*, y la televisión que presidía la estancia desde su sacrosanta hornacina completaba el espacio del bar con un griterío espantoso.

Vivales se acodó en la barra delante de un descolorido cartel de Mirinda y de un mural con la alineación del Real Madrid, de cuando la «Quinta del buitre» jugaba en alevines. Su vista recorrió la exposición fotográfica que ocultaba el ahumado alicatado de la pared. Un calendario con exuberante chica en escotado top de cuero le alejaba de los días fastos y nefastos del santoral y del par de fotografías gastronómicas devoradas por la luz que anunciaban la especialidad de la casa: Soldaditos de Pavía y Callos a la madrileña. La palidez de los tonos del cartel y la orfandad de la barra, ocupada únicamente por unos blanquecinos y amojamados boquerones que naufragaban en un plato de vinagre, tiesos como cadáveres embalsamados, hacían sospechar que aquellas imágenes habían sobrevivido a los sucesivos traspasos del local como el resto de la decoración.

El camarero era un tipo siniestro y picajoso, de nariz chata, indecente chaquetilla blanca, pajarita negra torcida y ojos de rata, que se comportaba con la clientela con una familiaridad excesiva. Hablaba raro. Era un poco gangoso o tartamudo, o ambas cosas a la vez. Cuando Vivales por fin logró entenderlo, siguió su recomendación y pidió una cerveza y un bocadillo de calamares para matar el gusanillo. Le rugían tanto las tripas que cursó la petición como si fuera el muñeco de un ventrílocuo. El camarero se compuso la pajarita y le puso la cerveza desbordante de espuma, advirtiéndole que se encontraba ante el mejor tirador de cañas de Madrid.

Ahora son todos ecuatorianos y bolivianos y no tienen ni puta idea. Le aclaró ufano, gangueando. Vivales evitó darle carrete y se ocupó de la exigua pitanza. Con el estómago encogido desde hacía días, los revenidos calamares, aunque parecían tan de plástico como la decoración, le parecieron más que suficiente para engañar la gazuza.

El reloj de su aparato digestivo padecía un crónico retraso, así que aquel desacostumbrado exceso culinario le sentó como un tiro, el ácido latigazo hizo despertar al intestino delgado que se comportó como una culebra venenosa. Se le soltó el vientre de forma instantánea. Entre ruidos y gases voló de aquella rayada barra de acero inoxidable a los lavabos y evacuó con urgencia el almuerzo en el retrete del servicio de señoras. La apremiante huida le había impedido descifrar los extraños pictogramas de las puertas. Unas siluetas escatológicas que más parecían jeroglíficos.

Decidió no dar demasiada importancia a su dieta y dedicar sus esfuerzos a encontrar una oficina donde instalar su apócrifo bufete. Preferiblemente un sitio céntrico pero discreto. Muy discreto, porque Carlos Vivales tenía un pequeño defecto. Pasó doce años y un día en la facultad de Derecho pero no logró terminar la carrera. Aunque para él, aquél sólo era un detalle sin importancia. Nadie es perfecto.

¿Quién necesita un título? Estaba convencido de que el secreto de un buen abogado no radicaba en su formación académica sino en la habilidad para representar un papel convincente. Para ser abogado bastaba con parecerlo. Había que simular un aire de *bon vivant* y circular por el mundo con mucha labia y pocos escrúpulos. Estar siempre dispuesto a legalizar la trampa, a enredar los asuntos y a legitimar el delito. Era necesario también dar la impresión de estar siempre muy ocupado y en permanente estrés. La puesta en escena cobraba entonces fundamental importancia.

Había que ponerse rápidamente en movimiento para abandonar lo antes posible el pensionado del Carlos II y buscarse un porvenir en Madrid más acorde con su posición. Disimuladamente arrancó del periódico la sección de Alquiler de Oficinas, se despidió del gangoso con un cabeceo y se puso en marcha. Lucía un sol incómodo que cegaba la vista e incordiaba el paseo, pero no tuvo que patear mucho. El precio reducía bastante la búsqueda.

Tuvo que decidirse por la más asequible. Un pequeño despacho en una entreplanta de la calle Alonso Cano cuya superficie parecía más apropiada para litigar ante la Audiencia Provincial de Lilliput. Era lo único que se podía permitir. Por si fuera poco, además del exiguo espacio, tenía que compartir la sala de espera con una agencia de publicidad, Fetiches y Artimañas. Sólo por unos meses, se dijo.

Manos a la obra. Carlos Vivales Muñoz adecentó la oficina y atornilló en el portal su falsa placa de abogado.

En ella había disfrazado con letras doradas su abolengo trenzando sus apellidos con copulativa. Sacó su chistera de mago y dedicó la mañana a decorar su despacho con toda la parafernalia que había logrado reunir para la ocasión. Sobre la mesa colocó un pisapapeles de tómbola que representaba su signo zodiacal y que le venía de perlas como sencillo homenaje a la balanza de la justicia, y la llenó de papeles con manchas de tinta que simulaban apostillas, membretes y sellos oficiales. Luego abarrotó la estantería de caducos aranzadis comprados a peso en el rastro de Cascorro y de carpetas con ostensibles rótulos que advertían: «Urgente», «Mayor Cuantía» o «Estrictamente confidencial». También diseminó por toda la estancia unas cuantas fotografías trucadas burdamente por ordenador en las que Carlos Vivales estrechaba la mano del Rey, conversaba animadamente con Vargas Llosa o reía las gracias de Emilio Botín. Para rematar su obra, colgó en la pared un título de licenciado más falso que Judas. Aquello era como montar una autoescuela sin tener carné de conducir.

Ante un ejemplar prescrito del Código Penal, estiró la chaqueta de su traje azul marino, un terno cruzado de botones dorados que le venía muy ancho y recordaba mejores tiempos, corrigió el grueso nudo de su horrenda corbata, y, aún no recuperado de la colitis aguda y con retortijones, juró solemnemente que nunca más volvería a pasar hambre. El hambre de los veinte años puede tener un aire bohemio, pero a los cuarenta, sólo es el certificado de un fracaso. Se quedó unos minutos observando su despacho con expresión de asombro y se emocionó.

ESTA NOCHE HACE MUCHO CALOR Y EL AIRE HUELE A brea. Sentado ante el ordenador como un buda autista escucho por sus altavoces unas carcajadas metálicas, el sonido de unas campanillas y unas palabrejas extrañas. Mala espina. Empollo el huevo de la desgracia. Después de lo del video, sólo falta que se me joda el ordenador. El único lujo que puedo permitirme. Mi único consuelo.

La luna se marchita. Hasta esta lóbrega guarida llegan los intermitentes parpadeos del rótulo de neón de la discoteca de la esquina. Los ritmos tediosos y repetitivos de la metralla invaden mi trinchera. Un barullo infernal. Es la puta ventana que no cierra y permite el paso de todos los ruidos y vibraciones de la algarabía nocturna. La irritante percusión de aquel antro me descompone y me embota los sentidos. Así no hay quien escriba.

Me los imagino con las pupilas dilatadas por el garrafón, imitándose unos a otros y berreando en la pista como histéricos tentetiesos, simulando felicidad y chapoteando en aquellas aguas turbulentas y bacaladeras. Creyendo levitar hasta alcanzar esa bola de espejos que los marea.

Sigo oyendo un repiqueteo extraño en el ordenador. ¡Hay que joderse! El pecé parece contaminado. Se habrá infectado a través de esas páginas guarras a las que me conecto de vez en cuando. Los venéreos virus informáticos. La sífilis cibernética.

He de confesar que no hago mucha vida social. No soy como esos malnacidos que me atormentan con sus motos y sus voces desde la discoteca de la esquina. Esos tarados cuyo troceado vocabulario cabe en la etiqueta de su pantalón de marca, y que aliñan sus neuronas insomnes al pil pil y las machacan con la ayuda de un mortero de farmacia.

No, no soy un hombre de acción, ni soy el marinero alto y rubio como la cerveza de la copla con la que nos martiriza a diario la patrona. Nunca he bailado Angie aferrado a la cintura de una mujer. Ellas nunca decían sí. Sólo soy un cleptómano de miradas o un payaso que colecciona frustraciones. Mi única compañía son las palabras y no tengo más audiencia que yo mismo. Soledad infinita.

A veces pienso que soy el culpable de algún delito terrible y que tengo bien merecida mi reclusión en esta celda. Tal vez ya esté muerto y no lo sepa, e ignore que, en realidad, estoy vagando y vagueando en este purgatorio. Un anticipo del infierno. Quizá lo que yo necesite no sea un psiquiatra, sino un forense.

Alguna vez he soñado con un cuerpo estilizado y atrayente como ésos que empapelan las vallas publicitarias y decoran los cristales de la parada del autobús. Sí, a qué negarlo, alguna vez he deseado un cuerpo así. A esos tipos les sientan bien hasta los calzoncillos, y dan la impresión de que se los quitan con mucha frecuencia.

En algún momento de debilidad también he delirado y he fantaseado con los besos de esas mujeres frías e inaccesibles que colonizan mi paraíso, a pesar de que Chandler me tiene dicho que esas mujeres fatales no difuminarían su carmín con cualquiera, que esos maniquíes son capaces de adivinar el saldo de tu cuenta corriente con sólo mirarte. Y el mío no llega ni para la renta semanal de esta covacha.

Eso me aguijonea el alma. Intento tomar el pulso a *Parada y Fonda* Aún no he escrito más palabras que Tito Monterroso en el dichoso cuento del dinosaurio. Es inútil, rompo unos cuantos folios y me distraigo de nuevo. Estoy atrapado en esta caverna platónica que se llama internet. Ahí me siento bien. Viento en popa a toda vela por las páginas más guarras de la red.

A veces también mato el tiempo en foros de medicina y salud. Otra perversión más. Me bajo videos interactivos de microcirugía, colonoscopias y cateterismos. Circulo por el estómago y el intestino y me distraigo pellizcando biopsias, extirpando pólipos y parcheando úlceras sangrantes. Soy el tripulante de un viaje alucinante.

Hoy me he dado un garbeo por un chat de cibersexo y he chateado con Natacha. Otra sicofonía más que se graba en mi mundo de fantasmas. Una aventura más para mi historia de amor solitario. Apenas he entendido su extraña jerga. Era un lenguaje descompuesto: siglas, códigos de barras y palabras a medias. Una gramática parda repleta de comodines semánticos y faltas de ortografía que me ha dañado la vista y la sensibilidad de filólogo. La prosa descoyuntada y el verbo cojo. Como yo.

Natacha combinaba letras y números, ignoraba los acentos y su redacción era un cúmulo de consonantes, símbolos y acrónimos. Yo he intentado mantener un diálogo digno, sustituyendo muchas guarradas por puntos suspensivos y omitiendo en lo posible los soeces desahogos de mi apática excitación, el grosero consuelo de mi soledad sonora. Las palabras de cuatro letras. Soy un intelectual. Ella no sabía lo que era un pleonasmo, ni un oxímoron. Me ha llamado degenerado.

De aquel batiburrillo de signos lingüísticos deduje a duras penas que era actriz. Yo no la he creído, pero qué cojones importa eso en un chat. Ella tampoco se habrá tragado lo de que soy un escritor de fama nacional que saca libro cada seis meses y que pacta un premio importante al año a cambio de figurar en unos cuantos jurados en los que asiente sin contemplaciones al veredicto del editor de turno, o que tengo un apretado calendario de galas en las que repartir mi repetitivo y aparentemente improvisado discurso a novecientos euros la hora. No, no se habrá creído que el cuerpo cavernoso de mi ego ya se ha abultado más que el de mi polla, y que la vanidad y la autocomplacencia me ha dibujado una indeleble sonrisa forzada en el rostro que se asemeja mucho a la del Jocker de *Batman*. No, seguro que no se lo ha tragado. Qué importa.

Confieso que, aunque parezca un tipo radical e inconformista, yo también añoro disfrutar de la *dolce vita* literaria, pertenecer a esa variopinta farándula que zascandilea por el mundo de la literatura y recibe el visto bueno de santones, mandarines y parnasianos de provincias. Que ansío diplomarme en el panegírico y la lisonja al mercachifle de turno y administrar el lenguaje críptico y políticamente correcto allá donde sea necesario. Yo también aspiro a viajar a cobro revertido, a descubrir el gusto por la buena mesa y a que una estudiante solícita y repipi defienda su tesis doctoral con mis novelas.

No, esa zorra del chat no se lo habrá figurado. Qué más da. Me dijo que tenía *webcam* y micrófono y que era una lástima que yo no lo tuviera. Las palabras aburren y hay mensajes que precisan de manos libres.

Ya venía precalentada. Antes se lo había hecho con otro sexópata que sí tenía webcam. Lo que me ha contado me ha dejado alucinado y ha espoleado mi imaginación a mayores niveles que los pueriles libros de Henry Miller. Esa tía parecía más fogosa y más adicta al sexo que yo. Seguro que era un tío. ¿Qué más da?

No tengo arreglo. Malgasto mis fuerzas en proezas onanistas y mi prosa en absurdas conversaciones de chat. Me estoy echando a perder.

Me armo de valor y vuelvo a la novela. Una pandilla de anormales se ha concentrado en la acera de enfrente con un botellón y me tortura con el petardeo de sus motos, su risa floja y su estúpida cháchara adolescente. Esos motores me taladran los oídos y me golpean en las sienes como un tambor. Sus bramidos rompen el silencio de la noche y arañan mi ya bastante deteriorado cerebro.

Y yo ahora necesito un poco de silencio. Aún no tengo decidido el tono de *Parada y Fonda* y tampoco sé si utilizar un narrador omnisciente o un narrador inconsciente, como yo. No me decido. En vez de musas, este cuarto está atestado de musarañas que me roen las entrañas. Despilfarro mi talento poniéndome en el pellejo de Galán y tratando de contentar a sus lectoras, esas señoras cursis y remilgadas dispuestas a escandalizarse cada veinte páginas.

Me pican los ojos y siento un bombeo histérico en las sienes. No puedo más. Cierro por hoy este diario falto de inspiración y repleto de neuras y contradicciones, de preguntas sin respuesta. Mañana será otro día.

¡Maldita sea! El ordenador reproduce constantemente una página de contactos y se resiste a apagar el sistema. Sigo oyendo un tañido molesto por los altavoces. ¿Por quién doblan las campanas?

YA HABÍA PASADO UN MES DESDE QUE LLEGÓ A MADRID y Vivales seguía en el lugar de siempre, en la misma ciudad y con la misma gente. No había encontrado nada mejor (o nada peor) y tuvo que prorrogar otra temporadita su estancia en el Hostal Carlos II y aguantar la sonrisa hiriente de la patrona cuando lo hizo.

Hasta el momento, al cuchitril que tenía como bufete sólo habían entrado tres personas, incluyendo dos sosias de Woody Allen que se equivocaron de puerta.

Aquella tarde, la sala de espera compartida con Fetiches y Artimañas se encontraba inusualmente bulliciosa. Parecía el hogar del jubilado a la hora de la brisca. El abogado, intuyendo gestiones *mortis causa* y pleitos hereditarios, preguntó a la senil concurrencia a qué se debía semejante concentración. Uno de ellos, ahogando su gozo en un pozo, le explicó que venían por lo del anuncio. ¿El anuncio?

La agencia de publicidad colindante había organizado un particular casting en busca de un abuelo que promocionase una de esas nuevas bebidas energéticas que prometían tanto vigor. «Se precisa zorro viejo, saludable y con buena presencia para campaña publicitaria. Preparación a cargo de la empresa. Abstenerse profesionales»

—¡Qué pase el siguiente! —reclamó aburrida una mujer con voz aterciopelada.

Ni corto ni perezoso, Vivales irrumpió en el despacho.

—Los necesitamos con más edad y mejor aspecto —precisó la publicista casi sin levantar la vista.

El pícaro presentó sus credenciales y saludó con una efusión fuera de lugar.

—Ah, usted es el vecino. Encantada. ¿Qué desea?

Vivales, después de recorrerla de arriba abajo, no fue del todo sincero. Sólo le dijo que le interesaba lo de la promoción.

—Estamos buscando un anciano con personalidad y prestancia para el lanzamiento de una nueva bebida energética. Un maduro atractivo.

Aquella mujer parecía una experta en el arte de la seducción. Hablaba con lentitud, acariciaba las palabras y no escatimaba mohines. Tenía los labios finos, acentuados por la tilde de un lunar que rozaba la comisura. En el preámbulo de la charla, rió con aparente espontaneidad un par de ocurrencias del abogado, sacudiendo su melena rubia al hacerlo. Un estudiado gesto que prodigaba continuamente. La risa le provocaba hoyitos en las mejillas y unas patas de gallo que le entrecomillaban una mirada pegajosa y felina.

Llevaba una falda bastante corta y ajustada y una blusa entreabierta, dos tallas menor, que no lograba domar unas tetas revoltosas que palpitaban con el fuelle de su agitada respiración. Sin duda, aquél era un cuerpo que su dueña no ignoraba lo que valía y que seguramente sabía cómo utilizarlo y sacar partido de él.

Quizá no fueran más que elucubraciones sonámbulas del abogado. Posiblemente, aquella imagen femenina era distorsionada y acrecentada por la secular inanición erótica de Vivales, que no recordaba ya la última vez que estuvo tan cerca de una mujer. Esa castidad forzosa malinterpretaba todos los gestos de la publicista, traduciendo como estrategia seductora lo que no era más que coquetería, elegancia resultona y un encanto genital que guardaba rescoldos ocultos de sexo salvaje.

Con la carne esponjada y embobado por la visión de aquella criatura de formas rotundas, el abogado se esforzaba en componer gestos de tipo interesante. Y mientras Gloria le aportaba algunos detalles de la campaña publicitaria, Vivales fruncía el ceño, se quitaba continuamente las gafas y le sostenía la mirada más allá de lo que el decoro y la atención profesional requerían.

—Es el encargo de una multinacional mejicana: Sanilife. Créame, hay mucho dinero sobre la mesa. Quieren promocionar en España una bebida energética y buscan un abuelo que trasmita la imagen de anciano saludable e inteligente aunque un puntito canalla. Alguien del que se sospeche un pasado turbulento pero que gracias al consumo continuado de Mefisto recupera la alegría de vivir y está como una rosa. ¿Me explico? Alguien con la apostura y la planta de un Federico Luppi. No quiero momias —concluyó, alargando la última frase.

—Tengo a ese hombre —aseguró Vivales con entusiasmo.

Gloria, harta de la procesión de jubilados, dio por concluida la pesadez de las entrevistas y accedió a conocerlo, abrió su bolso y ofreció al abogado un cigarrillo de su pitillera. Él, aconsejado más por razones económicas que sanitarias, ya no fumaba, pero siempre llevaba encima un encendedor. Atento al quite, le ofreció fuego. Ella atrajo su mano con una suave caricia y acercó el pitillo. Un instante de seductora tensión que se fue al traste por la falta de uso del maldito mechero. Aquel chisme se había convertido por unos segundos en un pequeño lanzallamas. A punto estuvo de socarrarle las largas pestañas. Un oportuno respingo lo evitó.

Al socaire de las zalamerías y con el objeto de concretar el fichaje de Fausto Bandarra, concertaron para el día siguiente una de esas típicas comidas de trabajo donde se come mucho y se trabaja poco. Podría parecer un disparate pero había que intentarlo.

Pidieron crema de calabaza y langosta de roca a la plancha. Gloria no bebía vino, lo paladeaba, y demostraba con la difícil prueba del crustáceo su esmerada educación. Comía la langosta con parsimonia y parecía que más que partirla en dos le estuviera practicando una delicada intervención quirúrgica. Vivales se fijaba en ella e intentaba adaptarse a sus exquisitos modales pero con tanto cubierto utilizado sólo conseguía desmenuzarla y ponerse perdido de grasa en el forcejeo con la cola. Más bien parecía que le estuviera practicando la autopsia. Hay cosas que si se aprenden tarde se aprenden mal. Esa era una de ellas.

Fausto se había conformado con unas berenjenas fritas con yogur y un *Pilav* con hígados de pollo, y trasegaba el Boutari como si fuera el Don Simón del hostal Carlos II. Antes había despedido con cajas destempladas al camarero de ademanes relamidos que revoloteaba a su lado y le torturaba con la ceremonia de las probanzas, los asentimientos y el tacaño escanciado. El viejo siempre había sospechado que el ritual de la cata provenía de los antiguos catavenenos de los emperadores romanos, y por eso, le daba repelús que le dieran el vino a probar.

—Ligeramente embocado, che —le dijo al untoso camarero para darse importancia y quitárselo de encima. Aquel comentario le hizo aún más pegajoso. Trajo otra botella.

Fausto no pasaba desapercibido. Para no desentonar mucho en el selecto restaurante El Greco, había ido a la barbería, pero a juzgar por las calvas y trasquilones que le habían dejado, más parecía que acabara de salir de un tratamiento de quimioterapia. Se había afeitado de mala manera y su rostro era una maraña de cicatrices. También trajo consigo el olor a rancio de la pensión y el vaho de soledad de su cuarto, una camisa que alguna vez fue blanca y un traje azul lleno de brillos que seguramente estuvo de moda en los años cincuenta. Por el bolsillo de la chaqueta se desbordaba un pañuelo de indefinible color.

El camarero permanecía muy cerca de la mesa, regalaba con su aliento bofetadas de ron y sometía al abuelo a un férreo marcaje con el vino. A pesar de todo, Fausto siempre tenía la copa vacía.

Gloria desplegó durante el almuerzo su técnica de seducción publicitaria, que era mucha y muy depurada.

Se recostó ligeramente contra el alto respaldo de su silla y acarició la copa, humedeció sus labios perfilados antes de hablar y regaló a Vivales una mirada distraída.

—Verás, Fausto, ¿puedo tutearte? Quizá creas que a la gente de tu edad no le queda mucho futuro. Ni caso. Digan lo que digan, el presente es vuestro. Echa un vistazo a tu alrededor. Vivimos en una sociedad geriátrica. Sois la mayoría silenciosa, la indecisa, la del no sabe no contesta. Ponéis y quitáis gobiernos y domináis los índices de audiencia. Y eso, Fausto, el mercado lo tiene muy en cuenta. El mundo se llena de balnearios de aguas pestilentes y salutíferas, de residencias de ancianos sin inhibiciones, de clínicas de cirugía estética y adelgazamiento, y de viajes del Inserso. ¿Te has dado cuenta, Fausto? se trata de prolongar la vida a todo trance.

Vivales carraspeó a modo de ejercicio fonético y animado por el vino griego dijo en tono de chufla:

—Aquí no las diña nadie y así no hay forma de heredar. Ese Mefistófeles era un buen geriatra. ¡Vive Dios!

—Hoy todo son libros de autoayuda, vitaminas, algas y minerales, novelas de Claudio Coelho, espejitos mágicos, bodas de oro, dietas sin sal, parches hormonales y pastillitas azules para hombradas de última hora —subrayó Gloria con un guiño pícaro, jugueteando con el dedo por el borde de la copa.

El camarero, apostado como un centinela al lado de la mesa, parecía no perder palabra de lo que allí sucedía y volvió a la carga con otra botella de Boutari.

Ella seguía con persuasivos argumentos que no caían en saco roto. El convincente mensaje fue infiltrándose en el amodorrado cerebro del abuelo, ocupando buena parte de su escéptica materia gris.

A los postres Gloria encendió un pitillo. Sus labios sensuales se ocultaron tras la espesa bocanada de su cigarrillo mentolado. Aquel aroma avivaba el fuego de un armisticio incondicional.

—¿Qué contestas Fausto?

—Verá usted...

—No, no me lo diga ahora, tómate su tiempo. Te concedo veinticuatro horas. Confío en tu inteligencia.

Ella entretejió su rubia melena con los dedos, la sacudió hacia atrás y sostuvo su mirada hipnotizadora. Embaucaba con su perfume. Vivales, como de costumbre, interpretaba mal todo aquel despliegue de señales seductoras. Confundido entre aquel juego de ambigüedades, a punto estuvo de colocar su mano sobre la de Gloria cuando se acercó el entrometido camarero a preguntar por la langosta a la plancha. Le entraron ganas de contestar algo ofensivo pero se contuvo.

—La próxima vez les recomiendo Romesco de pescado —dijo el *maître*. Y explicó con fastidiosa demora y empalagosa palabrería la esmerada elaboración del plato. Gloria le escuchaba con una educada sonrisa que contrastaba con la indiferencia del abuelo y la amarga mueca de Vivales. Al cabo de media hora, el camarero se alejó de la mesa con una expresión triunfante, puntualizando que el queso gratinado daba un toque sofisticado a la típica receta. Romper los platos contra el suelo era una vieja tradición griega, a Vivales se le pasó por la cabeza hacer aquel día una pequeña modificación.

—Este mundo gira muy deprisa, sobran las veinticuatro horas. ¿Qué me dices Fausto? —preguntó, por fin, Gloria—, los mejicanos tienen prisa. Esta semana se proponen presentar en España la imagen de un abuelo vigoroso y sano que transmita que desde que se ha puesto en manos de Sanilife y consume Mefisto se ha convertido en una persona distinta: Un abuelo que ha engañado al tiempo, ha rejuvenecido, ve las cosas de otra manera e irradia salud y alegría de vivir. Ese anciano eres tú, Fausto.

—¿Yo? Macanudo. Fíjese en mí, necesitaría un curso acelerado de arte dramático para hacer ese papel —exclamó con el escepticismo de su voz cascada.

—¡Al diablo la falsa modestia, Fausto! Los años se ceban con algunas personas pero tú has envejecido bien, resultas simpático y tienes un aire de galán otoñal perfecto. Por supuesto, esos mejicanos tendrán que hacerte algunos retoques. ¡Qué importa? éste es el mundo de la ilusión, del señuelo, de lo ficticio, es el mundo de la publicidad —concluyó silabeando.

—¿Retoques, flaca? Me hará falta una liposucción cerebral como mínimo —y le salió un tono como de ronquido.

—Nada que no pueda arreglar un buen peluquero —Observó Vivales

—Vamos, vamos... Un pequeño sacrificio, Fausto. Nos proponemos que la gente asocie al hombre Sanilife con un tipo sin edad que ha vencido al calendario y está dispuesto a disfrutar de la nueva juventud que le procura la jubilación. Un anciano alegre y sin achaques que ya no da la tabarra con el pretérito imperfecto gracias a la fuerza que le proporciona la milagrosa bebida energética Mefisto

—Siglo veinte, cambalache...

—Estamos en el veintiuno, Fausto, y la fórmula se ha depurado. Si el mensaje se repite treinta veces, se convierte en aforismo, si cien, en verdad irrefutable —concluyó la publicista.

Hechizado por la música ambiental del sirtaki, Fausto Bandarra imaginó ser como Anthony Quinn en *Zorba el griego.*

—Suena bárbaro. ¿Oíste, Carlos? —preguntó su voz cavernosa.

Vivales contenía la respiración y nada contestó. Se hallaba bajo los efectos del tinto del mar Egeo y del campo magnético de Gloria, bajo el influjo de una ilusión amnésica, un *déjà vu* que le transportaba a un fantástico mundo previamente soñado, a un escenario reconocible que ya había aparecido en el mejor de sus sueños. Fantaseaba con que se descalzaba bajo la clandestinidad de la mesa y alargaba el pie hasta tocar la punta del zapato femenino, soñaba que ella no retiraba el pie y le miraba de reojo lanzando un prolongado suspiro. Una absurda ensoñación más de su sexualidad fosilizada.

Turbada por un extraño impulso telepático, Gloria compuso su falda, se estiró en su silla y pidió a Fausto una respuesta inmediata.

El camarero se interpuso de nuevo llenando las copas de raki. El abuelo comenzó a sudar. Entre el licor y los nervios se le desató un ataque de prurito anal que aguantó estoico en la silla. Sus venas latían ostensiblemente en la sien y su rostro empezaba a acusar los temblores de la responsabilidad. Sacó el pañuelo y se enjugó la frente, dando tiempo al corazón a que aminorase sus revoluciones.

—Gloria, estás proponiendo al abuelo poco menos que la inmortalidad —musitó Vivales.

Ella sonrió y aumentó la frecuencia del pestañeo.

—Eros vence a Tánatos. Nos proponemos combatir la ruina del cuerpo y la del espíritu. Si os dais cuenta, en este mundo ya sólo interesa lo alegre, lo deportivo y lo fugaz. Para todo se requiere gente joven, eso sí, con treinta años de experiencia.

—*Todo es igual; nada es mejor; lo mismo un burro que un gran profesor* —recitó el abuelo para alejar el nerviosismo. Gloria, ajena al tango, continuó con su perorata.

—Aparcamos a los viejos porque sentimos pánico a envejecer. Son ellos los que nos hacen pensar en la muerte. Pero Fausto y Mefisto harán que todo el mundo cambie de opinión. Pretendemos que esta simple lata se convierta en la viagra de los pobres. Es la magia de la publicidad, una fantasía que siempre atenta a la insatisfacción, crea la necesidad.

—Abracadabra —festejó el pegajoso camarero, que se había sumado definitivamente a la conversación.

A pesar de que la sanguínea mirada de Vivales le mostraba el camino de la puerta de la cocina, el *maitre* seguía apostado a pie de mesa remachando las frases de Gloria, que, complacida por sus halagos, se giró hacia él y le regaló los oídos con todas las bendiciones culinarias. Concluida la coba, pidió la cuenta. Sus senos se bambolearon al hacerlo. Vivales, que tamborileaba con los dedos un nervioso código morse, precipitó su vista en aquel insondable abismo. Los imaginaba como de gelatina.

Perdido entre el escote, irrumpió otra vez el odioso camarero con la factura. A juzgar por la cantidad, debía incluir un fin de semana en Creta para dos personas.

Gloria dejó su tarjeta de crédito, compuso su falda ajustada y sacó de su maletín unos papeles. Sus piernas eran largas y elegantes.

—Vivales, ¿vos qué pensás?

—No me gusta pensar, nunca me ha hecho ningún bien.

—En serio. ¿Qué opinás? No sea cosa que me vayan a enquilombar en un asunto jodido. No quiero macanas.

—Fausto, creo que no hace falta pensarlo mucho. Aquí tienes el contrato, no hay gato encerrado, sólo necesito tu firma por triplicado y asunto resuelto —interrumpió melosa.

Entonces extendió unos folios mecanografiados sobre la mesa y una uña pulida lacada en un tono burdeos indicó el lugar donde debía firmar el abuelo entre la telaraña de tanta letra pequeña.

Fausto tragó saliva, refrescó la sequedad con unos sorbos de su petaca e inclinó la cabeza sobre el contrato. Su vista cansada apenas pudo repasar las condiciones de aquel galimatías.

—¿Acá?

—Sí ahí, donde está la cruz, y se acabaron los problemas, Fausto.

No había mucho que pensar. Además de los tragos de licor, había trasegado botella y media de vino griego y las ideas se licuaban entre los cadáveres de sus neuronas. Su dañado corazón retumbaba dentro del pecho y la imaginación voló a una velocidad de crucero. Tiró del cuello de su camisa y miró a Vivales por encima de las gafas como pidiendo consejo. A pesar de que sus cejas alzadas denotaban incredulidad la capitulación parecía inminente. Suponía que no era de buen gusto preguntar por la plata, pero Gloria le leyó el pensamiento.

—Ah, se me olvidaba, recibirás diez mil euros de entrada, descontando cargas, retenciones y comisiones, y un porcentaje en los beneficios superado un determinado nivel de cuota de mercado. La contrapartida es su plena disponibilidad y dedicación al proyecto. ¿Comprendes, Fausto?

—Comprendo —contestó, sin comprender nada—. ¿Vos entendés lo que dice? —preguntó arrimando el contrato al abogado, que seguía a lo suyo, perdido entre las interminables piernas de Gloria. A Vivales le llevó mucho tiempo volver en sí y enhebrar su vista desde la aguja de sus tacones hasta los folios que sostenía el viejo como si fueran las tablas de la ley. Los echó un rápido vistazo, fingió una tos y expuso su dictamen jurídico.

—Todo en orden. No te calientes los cascos, don Fausto.

Un teléfono móvil retumbó a ritmo de mambo. Gloria se apartó ligeramente para mantener unos minutos de displicente conversación antes de colgar.

—Mi marido —explicó después con un gesto de fastidio—. Qué se le va a hacer, no está preparado para la vida moderna.

—¿A qué se dedica? —preguntó el indiscreto Vivales.

—Es magistrado y parece más agobiado que de costumbre.

—¡Mal sitio para ser juez! Esta ciudad ha sido siempre muy propensa a los motines. Una vez montaron uno por una cosa tan nimia como la longitud de una capa —exclamó el abogado de pacotilla, con un ingenio tan seco como el Sahara.

—Bueno, nosotros a lo nuestro Fausto. ¿Te fías de mí?

Fausto mintió y firmó los papeles por triplicado como un bendito.

Para celebrarlo, Gloria pidió champán, aunque ella dijo algo así como «shandón». Y el viejo, emocionado, entonó la estrofa de un tango:

Siglo veinte, cambalache
problemático y febril;
el que no llora, no mama,
y el que no afana es un gil

El taponazo sonó como un disparo, como el chupinazo de unas fiestas. Vivales y el abuelo entrechocaron las copas y casi se las cargan. Ella sólo la levantó.

DON JUSTO HIZO SONAR LA CAMPANILLA CEREMOnioso, mientras ordenaba de modo autoritario el desalojo de la Sala de Vistas. Había tenido la mañana ocupada en absurdos juicios de faltas y aquello le sacaba de quicio: Estúpidas amenazas, peleas entre vecinos, testigos vociferantes y pesadumbres domésticas. Asuntos impropios de una formación como la suya. A hacer puñetas, murmuró agitando airado las de su toga negra.

—Visto para sentencia. Vamos, vamos, despejen la sala —ordenó desde su trono con altanería.

Vivales aprovechó la audiencia pública y presentó sus respetos al magistrado. Aquella mañana había comprobado que podía decir las mismas estupideces que un verdadero abogado y que nadie distinguiría su toga de carnaval de una de la sastrería de Gavilanes.

Justo Munilla había llegado a la judicatura más por soberbia que por vocación. Se creía especialmente ungido por los dioses del Olimpo y trataba a sus congéneres con un desprecio de casta. La carrera judicial era el último bastión de la arrogancia y la justicia el único escenario por donde podían circular su afectada vanidad y sus aires de grandeza. Y con más aires que grandeza paseaba cada mañana su toga negra por los pasillos del Juzgado, llevando un porte tan altivo y envarado que parecía que tuviera escayolada la tráquea.

El juez compaginaba la función judicial con sus tediosas y moralizantes clases de Filosofía del Derecho en la Universidad Autónoma. Allí conoció a la que luego sería su esposa. Una atractiva alumna diez años más joven que él y, por aquel entonces, meliflua y timorata, obediente y respetuosa con las piadosas leyes naturales y asidua a la cita de la Adoración Nocturna. Un roto para un descosido.

Justo era un destacado miembro del Opus Dei y *Camino* de Escrivá de Balaguer, prácticamente, su única lectura, su libro de cabecera. Los fines de semana dedicaba su tiempo al mandato del proselitismo y colaboraba en la parroquia de su selecto barrio de la zona norte de Madrid como puritano catequista y asesor experimentado en cursillos prematrimoniales. Puntualmente, cada mes, enviaba con entusiasmo de apóstol un ultramontano artículo de opinión a la revista *Mundo Cristiano*

Para todos, Justo Munilla era un buen cristiano, un buen marido y un hombre sin mácula. *Camino*, más que influido, le había trepanado el cráneo.

Cuando conoció a Gloria, Justo no tenía ninguna experiencia con las mujeres. Asociaba la castidad al misterio de la redención y creía a pies juntillas en las palabras del Apóstol San Pablo: el cuerpo es el verdadero templo del Espíritu Santo y el que fornica, peca contra él. En realidad, nunca había pensado en el matrimonio. En su particular catecismo opusdeístico había aprendido que «ese sacramento es para la clase de tropa y no para el estado mayor de Cristo», pero su honesto celibato tuvo que ceder a las exigencias familiares y a las habladurías y maledicencias que le situaban al otro lado de la acera.

Su ejemplar existencia se vio así contaminada por la presencia femenina. Aquel fue un ocasional ayuntamiento más cercano a la compasión que a la pasión que además Dios no bendijo con la llegada de unos cuantos hijos. «Hijos, muchos hijos, y un rastro imborrable de luz dejaremos si sacrificamos el egoísmo de la carne». De acuerdo con la doctrina de la Obra, la esterilidad dejaba entonces sin sentido la fornicación. Al piadoso Justo, la mera utilización del sexo como fuente de placer le parecía más propio del género animal, ajeno al espíritu, algo indigno de un hombre ilustrado y profundamente católico como él. En su opinión, la concupiscencia de la carne era el camino más corto hacia la suciedad y el pecado.

Vistas así las cosas, su atrofiada convivencia transcurría entre el tedio y la monotonía. Unidos con la pesada cadena de la abstinencia hasta que la muerte los separara. Una perversión más. «Señor, haznos locos, con esa locura pegadiza que atraiga a muchos a tu apostolado», leía de noche.

Al cabo de unos meses, Gloria se atragantó con la ramplona y terca escala de valores del magistrado y se descubrió como una mujer independiente y de carácter que acabó interpretando de una forma muy peculiar el débito conyugal impuesto. Su formación religiosa también le había dejado mella. La rijosa tutela adolescente de la madre superiora, especialmente autoritaria en lo concerniente a los picores propios de la edad, le había impregnado de una sutil patina de perversión que, a la larga, le hizo escatimar de forma patológica el goce de lo que la generosa naturaleza le había concedido.

Los resabios de aquella piadosa educación en un colegio de las Carmelitas Descalzas y las traumáticas experiencias de puritana tradición le habían forjado una velada personalidad de mujer emancipada y dominante, instalada ahora en la hipocresía de una sólida posición social y de una intachable reputación familiar. Vivía atormentada por una turbia desazón de deseo y represión, y cobijada bajo el sombrajo de la doble moral.

El insatisfecho y contradictorio erotismo de Gloria se asemejaba al de Madame Bovary. Pero Gloria no era como Emma, que leía aquellas novelitas rosas y quería revivirlas, tampoco fantaseaba como una adolescente con las temáticas cursis de las novelas de Corín Tellado. No, Gloria anhelaba otros desafíos. Su cándida inocencia ya era historia. Aquella farisaica educación de colegio de monjas la había transformado a los pocos años de matrimonio en una auténtica mantis religiosa, una amazona guerrera que había renunciado a la maternidad y se había amputado el pecho nutricio para disparar mejor su arco de seducción en el mundo de los negocios.

Apuntalada en el concepto más rancio de pecado, pronto la convivencia marital devino inexistente y degeneró transgresora. Freud lo llamaría, explosión de la libido del inconsciente reprimido. El pasado siempre ha tenido el poder de ordenar pero también de desordenar el presente, de ponernos del revés.

Las noches de plenilunio, la ambigua sexualidad de aquellos seres reprimidos se enfrentaba con la realidad y se enmarañaba en un equívoco sentimiento de amor y odio, placer y dolor, deseo y repulsión. Inexplicablemente, los días de luna llena, Gloria regalaba a Justo una particular e íntima sesión de represión sádica. No llegaba la sangre al río, pero la turbación lograba algo más que el débito conyugal recomendada por su confesor

Ataviada con la parafernalia propia para la ocasión: guantes de cuero, medias negras, lencería de látex y botas altas de charol con tacones de aguja, le sometía a la disciplina de una turbia sexualidad que sólo ella controlaba y que el ascético Justo acabó tolerando dócil y sin remilgos entre las humillaciones y los leves latigazos de aquella sádica y desinhibida institutriz encapuchada.

Nunca se planificó. Aquello comenzó un día como inocente acto de contrición religiosa llevado al extremo del cilicio y había desembocado en aquellas extravagantes liturgias sado-maso. El alambre espinoso había conseguido un efecto perverso. La penitencia llevada al paroxismo. El tormento y el éxtasis. Una guerra jamas declarada que se convirtió en costumbre y que con el tiempo fue aumentando de nivel, incluyendo ataduras, sonoros azotes, ortopédicas penetraciones de un grosor sorprendente, micciones y otras degradantes y morbosas sevicias que soportaba su señoría con obediencia y sumisión, en una penumbra sólo iluminada por la luz de las velas, cuya cera caliente servía también como parte del juego.

Justo, aunque en su fuero interno no aprobara aquella erótica y neurótica excentricidad a que le sometía su esposa con periodicidad lunar, nunca tuvo arrestos para censurarla.

Concluido el transgresor suplicio, su vida volvía a la más absoluta normalidad como si tales desviaciones fueran sólo el producto de una extraña pesadilla. Pero aquella morbosa experiencia, tatuada para siempre en su memoria, se había convertido en una deseada y puntual costumbre para ellos. Un hábito que aumentaba la carga de angustia del pobre Justo, acostumbrado extramuros a la pulcritud moral, a la proscripción de las actividades impúdicas y al ordeno y mando.

La mente es un hervidero de instintos, un caos de tendencias sexuales extrañas y egoístas. En alguna parte de nosotros mismos se encuentran agazapados oscuros y turbios deseos que, aunque reprimidos, un interruptor interno, alguna vez enciende sin avisar.

Con ese inestable panorama, Justo no lograba preservar su casto pensamiento de la picazón de la lascivia ni conseguía desahuciar aquellos confusos deseos del ático más lóbrego de su conciencia. El rescoldo de aquellas brasas se negaba a extinguirse y calentaba de vez en cuando sus más bajos instintos. Todos somos hijos de un mono mutante.

Antes de terminar su diaria lectura de *La Razón* al magistrado le gustaba echar un vistazo a los anuncios de contactos: «Carla y Eva. Lésbico auténtico. Griego. Francés completo. Madame Putifar: Sado. Alba y Lola. Francés a dos bocas. Pechos exagerados. Jugamos con los consoladores y nos penetras a las dos. Copa-Vídeo. Madurita cachonda. Putón verbenero. Travesti Lorena ciento veinte pecho. Foto real. Sexy. Guarrona. Recibo desnuda integral y empalmada. Brasileña, ciento ochenta de pecho. Especial reprimidos...»

Aquellos escarceos por palabras deleitaban su mente y esmerilaban sus ojos, confirmando la freudiana teoría: Siempre triunfan las tendencias más decadentes y oscuras del inconsciente.

En las páginas de «Relax» Justo Munilla huía de sí mismo y daba rienda suelta a su imaginación soñando con «relaciones exóticas, tríos y lésbicos auténticos» tal y como aseguraban los explícitos anuncios. Al borde de aquellos resbaladizos abismos de papel, fantaseaba con acrobacias, con botellas de champán y cigarrillos compartidos, con remolinos de cuerpos y vergonzantes bizarrías. De vez en cuando, con mucho disimulo y alterando su voz, llamaba a alguno de aquellos teléfonos incandescentes. Eso le provocaba una taquicardia adolescente, un latido desbocado y sin compás.

—¡Hola cariño! —contestó una voz femenina con acento suramericano.

—¿Querría saber el precio? —balbuceó Justo.

—Eso depende...

—¿De qué?

—De lo que tú quieras mi amol...

—No sé...

—Te haremos todo lo que imaginas y lo que no te atrevas a imaginar. Ven y hablas con las chicas. Ahorita están...

—Gracias... —y colgó agitado y nervioso.

Justo siempre se olvidaba de preguntar el paradero de aquella perdición. Eso evitaba mayores tentaciones. La cuestión se reducía a realizar esas llamadas y después zanjar la calentura en el baño rezando unos cuantos padrenuestros.

Un día se armó de valor y preguntó por la dirección de uno de esos teléfonos. Aquel lunes, sucumbiendo a los cantos de sirena, abandonó el Juzgado más pronto que de costumbre y se dirigió a la calle que una sugerente voz con acento caribeño le había deletreado a duras penas, con una determinación tan irresistible que no supo a qué atribuir. Supuso que al recuerdo de los desbarajustes fetichistas de Gloria.

La tarde se iba envolviendo de nubes rosadas, era mayo y la luz no quería desaparecer. El fulgor asalmonado de la puesta de sol reflejaba en los escaparates su mirada extraviada. El nervioso espejismo del callejón del Gato hizo que titubeara en su empeño, llegó incluso a darse media vuelta, su sombra asustada le precedía, pero recordó aquello de «cariño» y «mi amol» y volvió con decisión hacia el portal. Estaba abierto y entró directamente en el ascensor. Una señora muy peripuesta subió con él.

El vetusto ascensor era de ésos de madera, con puerta plegable y enrejado metálico. Parecía un montacargas.

—¿A qué piso va?

—Ehh... Al octavo.

Aquella buena señora que ya no cumpliría los sesenta, apretó al botón del séptimo como si hubiera recibido un calambrazo y miró descaradamente a Justo con cierto desprecio. No le incluía en el selecto grupo de los vecinos, así que no le costaba imaginar a qué subía aquel pervertido al octavo. A aquella cuadra.

El ascensor inició el despegue con un chirrido reumático de cables y poleas oxidadas, y continuó rezongando a una velocidad lenta y angustiosa. Justo contabilizaba ansioso los rellanos de un ascenso que le estaba resultando eterno. Una metáfora de la eternidad que se representaba entre patética y mística de tanto elevar el magistrado la vista al techo, única alternativa que permitía el campo visual de aquel reducido habitáculo. La vecina miraba hacia la puerta con desasosiego y le observaba de reojo. Eso aumentaba sobremanera el nerviosismo de Justo, que en un alarde telepático podía reproducir perfectamente lo que en aquellos momentos sospechaba esa mujer de su rijoso acompañante. Su pensamiento le llegaba nítido, parecía escrito entre los soeces graffitis que decoraban las paredes de aquel trasto, que proseguía su camino a una insoportable cámara lenta.

La barandilla de madera serpenteaba en torno al ascensor y le ahogaba como una boa constrictor. La inquietud y la claustrofobia se enlazaron en la garganta a la altura del tercero y un sudor frío, mezcla de adrenalina y pánico, recorrió todos los poros de su cuerpo durante el interminable trayecto. A punto estuvo de desvanecerse cuando, sobrepasado el quinto piso, el viejo elevador protestó ruidoso e hizo un amago de pararse. Por fin, el habitáculo botó, resopló a la vez que Justo y llegó a su destino. La señora se despidió con displicencia regalándole otra mirada de desprecio. Justo se armó otra vez de valor y pulsó el botón rayado en rojo con un ocho. Antes de llegar al ático, aún tuvo que subir un pequeño tramo de escalones de maderas desgastadas y crujientes. Cuando llegó por fin al rellano de la puerta, el sudor empapaba sus ropas y sus ojillos apremiantes dudaron un segundo antes de llamar al timbre calcinado de aquella puerta destartalada.

De la puerta contigua salió un hombre rechoncho y pequeño a quien Justo creyó reconocer. Se parecía a un subalterno de los Juzgados de la Plaza de Castilla. El juez empalideció, su carne no respondía a la dura prueba del pellizco y su sofocada garganta no acertaba a responder al saludo del vecino. Fue entonces cuando se sintió mezquino, cuando percibió que aquel furor lujurioso le envilecía. Bajó a trompicones por las escaleras y salió despavorido de allí.

Aún faltaban tres semanas para la luna llena y Gloria, concentrada en el lanzamiento de un producto homeopático y en la restauración integral del abuelo para la campaña publicitaria de Mefisto apenas se apiadaba del pobre Justo, castigado contra el muro de las lamentaciones de la convivencia rutinaria.

Bajo el poderoso influjo de la luna menguante y de una generosa copa de Chivas que le procuró una momentánea pérdida de sus frenos inhibitorios, Justo volvió a la carga. Ni corto ni perezoso, repasó la sección de contactos y se citó con una brasileña en una pensión de la zona de Lavapiés. A la puerta del Hostal Carlos II, Elisa esperaba al cliente con la indolencia de sus ceñidos vaqueros, evidenciando su condición de cuerpo de alquiler con los molinetes de su bolso. Sonrió con expresión lasciva y descarada cuando vio venir a un Justo nervioso y desorientado.

El magistrado, hechizado por una tentación desconocida, quería disfrutar de más emociones prohibidas y dar con el vellocino de oro en el mundo más sórdido de la prostitución.

La prostituta le pidió *O dinheiro* en un susurro. Aquel tono discreto contrastaba con el escandaloso parloteo del periquito que se atiborraba de alpiste y custodiaba como un cancerbero la entrada del establecimiento. Dejó una parte de la tarifa en una caja oculta bajo el mostrador de recepción y condujo al exaltado Justo a su habitación. El cuarto era sórdido, frío e inhóspito. Morboso. Parecía formar parte del decorado de una película de Arturo Ripstein.

Elisa percibió la inquietud del magistrado, borró con un pañuelo el carmín de su boca y le besó en la mejilla. Para rebajar la tensión, le confesó que era de Sao Paulo, iniciando así una ininteligible cháchara en portuñol de la que Justo sólo entendió algo así como *hoje temos muito mais tempo.* Tras trajinar un rato *na banheira* común del pasillo, preparó el lecho del continuo apareo y se entregó a él de manera entusiasta.

—*Eu quero que sintas que te quero* —le ronroneó Elisa a un hiperexcitado Justo.

Y aquella codiciable mujer, una hembra como las que sólo recordaba haber contemplado en esas películas para adultos que irrumpían sin avisar en nocturnos zappings televisivos, se desnudó con presteza y se recostó exageradamente repantingada sobre el incómodo jergón cubierto por una sábana de múltiples usos, palimpsesto de sudores y esfuerzos mercenarios.

Elisa accedió a las exigencias del cliente y adoptó una actitud pasiva. Entonces, Justo exploró su cuerpo como si de una extraña ceremonia sexual se tratase. El reverso de la moneda conyugal.

A pesar de la frenética excitación, escudriñó con lentitud aquel cuerpo arrendatario. Lo sobó con los dedos como si de un rijoso ciego se tratase y recorrió su piel mulata con los labios, arrastrándose como un reptil. Concluida la circunvalación de las caricias e impelido por una especie de viril desasosiego, por el desordenado amotinamiento de su otrora coagulada sangre, su lengua aceleró por las cercanías de sus prietos muslos, quedando varada en la pirámide invertida de su oscura pelambre, en el umbral desconocido del infierno. Hurgando en la oquedad, separó aquellos labios tan carnosos como el corazón de una nuez y lamió la carne con fruición.

Elisa parecía gozar o fingía hacerlo y se pellizcaba los pezones con delicadeza. Cegado de sofocos, Justo se emborrachó del sabor salado de su magnético flujo. Cumplido el tiempo reservado para los preámbulos, ella dio por concluida la obnubilada succión y, a pesar de la posición genuflexa de Justo, le calzó con oficio un preservativo. Un pequeño detalle que de no ser por la profesionalidad de la prostituta, la irreconocible ofuscación del magistrado hubiera pasado por alto.

En aquel jergón, Justo había perdido el dominio de sus actos. El alma extraviada y el cuerpo en los infiernos. Elisa moderó los ingobernables instintos del cliente y le colocó en posición, moviéndose con una pericia que sólo puede aprenderse en las escuelas de samba. Por fin, pasados unos segundos de frenético ritmo, cesó la febril agitación. Tras un simulacro de alivio y un precoz mugido espasmódico, el juez compartió con pulso tembloroso un cigarrillo rubio hipnotizado por la risa de la brasileña y su incomprensible jerga. Con la mirada perdida entre su generoso pecho y acariciando cataléptico los rizos de su pubis, Justo expulsaba relajado el humo del tabaco y perdía la noción del tiempo. La humareda le confirmó que estaba en una nube.

Ella se pavoneaba por la habitación entre la penumbra viscosa, exhibiendo con delectación su exuberante anatomía mientras Justo se intoxicaba cada vez más de la lujuria y del perfume barato. Se sentía vivo, sin vergüenza ni pudor, insaciable. La saliva se le acumulaba en la boca pero prefirió tragarla antes que escupir.

Menguaba la luz, aquel cuerpo moreno contrastaba con el atardecer que se filtraba por el ventanal y se teñía de rojo. De alguna parte del hostal se oía la melodía de un tango. A Justo le pareció que Carlos Gardel cantaba en la otra alcoba *El día que me quieras.* Se encontraba como en trance, hipnotizado por el frenético *tictac* de su taquicardia. Cerca de Dios.

Salió al baño con el miembro aún enhiesto y enfundado por el condón que atesoraba su estéril esperma. Allí se encontró con la figura convexa de un joven pelirrojo y regordete que vomitaba arrodillado ante la taza del retrete. Era Narciso que, enredado en otra de sus crisis creativas, se había vuelto a emborrachar a deshoras.

El chico se volvió y, entre arcadas, sostuvo unos segundos la mirada del juez. Tiró de la cadena. El torbellino del agua ahogó las presentaciones. La peste a vómito y la vergüenza propia y ajena hicieron que Justo volviera apresurado a la sordidez del cuarto. Se limpió con un pañuelo de papel y se vistió con rapidez, desatento ya al espectáculo de aquel cuerpo teñido de obsidiana. Ella le regaló un caramelo y se lo metió en la boca, engolosinando de fresa su turbia saliva, entre rutinarias alabanzas al priapismo de su miembro.

Justo abandonó la pensión sonrojado, con la secuela de un regusto salobre y un desasosiego que mezclaba el bochorno con el pecado. Una zozobra que empapaba su camisa de un engolfado sudor. La calle ahora le parecía extensa y el atardecer interminable. Como si el mundo se hubiera detenido. Miró la hora, el reloj tradujo aquel infinito trance carnal en unos escasos treinta minutos, unos minutos que habían durado años. Una eternidad.

Emprendió abatido el camino de vuelta a casa, buscando las paredes como un ciego. Una marcha errática por las calles de un Madrid en hora punta, entre coches, ruidos y encontronazos con la gente, que no hizo más que aumentar su confusión y desencadenar una fatiga existencial desconocida hasta entonces. Justo Munilla empujaba el cuerpo culpable a un ritmo cansino y cruzaba de acera su mala conciencia sin respetar los semáforos, sordo a los bruscos frenazos y a los cláxones alterados de los vehículos que amagaban con atropellarlo. Un reloj digital erigido en la calle como un centinela le hizo despertar y acelerar el paso.

El horizonte se inflamaba de un rojo candente. Merodeó desorientado por el dédalo de las callejuelas más retorcidas de su alma, y cuando el último rayo de luz se precipitaba como un ángel caído, regresó al hogar ahogado por el arrepentimiento, boqueando como un pez fuera del agua.

Gloria estaba ensimismada viendo uno de esos programas de cotilleo televisivo y apenas se percató de su llegada. Justo volvía con la lengua irritada y lacerada por el rescoldo de los besos y las caricias de la brasileña. Fue al baño y se enjuagó la boca, se miró en el espejo y se le saltaron las lágrimas. Entonces se desplomó. Permaneció unas horas en la postura del loto hasta que Gloria le rescató.

AL DÍA SIGUIENTE, JUSTO TENÍA EN SUS MANOS UN espinoso asunto que resolver. Con el ánimo deshecho, el juez leía a duras penas un voluminoso atestado de la policía judicial. Una prostituta había denunciado una brutal violación.

Se trataba de una de esas putas de lujo, de ésas que no follan a destajo, que aceptan la Visa y la American Express, y nunca realizan más de un servicio diario ni cobran menos de seiscientos euros por él.

En la detallada denuncia se relataban los hechos con crudeza, sin matices. Al parecer, un tipo importante había requerido sus servicios por teléfono concertando la cita en un lujoso hotel de Madrid. Antes le propuso cenar en Casa Lucio. El tipo le pareció solvente y educado, por eso subió confiada a su reluciente Jaguar color burdeos. Pero el vehículo nunca llegó a su destino. El cliente la amenazó a punta de navaja y la violó varias veces en un solar cercano a la Estación de Chamartín.

La hizo desnudarse y la dejó sólo con el sujetador y los botines de tacón de aguja. Según refería la denuncia, en el asiento de atrás, además de un par de felaciones, realizó dos coitos completos, uno por vía vaginal y otro por vía anal. Todo duró unas tres horas. La prostituta no había necesitado de los álbumes de fotos policiales para reconocer sin ningún género de duda al violador. Se trataba del eximio escritor Arturo Galán.

A pesar de la importancia y notoriedad del caso, cuya alarma social alcanzaría los límites trasatlánticos, Justo Munilla permanecía ajeno al asunto, casi autista, avergonzado de su mezquindad. Su lengua aún irritada le recordaba el pecado en todo momento y sus atormentadas neuronas empezaron a rumiar la ominosa idea del implacable castigo divino. Por su mente asomó la sospecha de la enfermedad venérea, de la apocalíptica infección, del sida. Cierto es que había utilizado el condón, pero la lengua...

Aparcó un instante las diligencias policiales, conectó su ordenador y consultó en internet las páginas referidas al sida. Un sudor frío recorrió entonces todo su cuerpo:

En las relaciones orales con los órganos genitales el riesgo de infección existe si se mantiene en la boca o se traga semen o flujo vaginal. El riesgo real es principalmente para las personas que realizan las prácticas, los que realizan la felación o el cunnilingus.

Cuando lo hubo leído, pulsó tembloroso la tecla de apagar. Era un temblor equidistante del pavor y la culpa. Antes de que la palabra «sida» desapareciera de la pantalla, el altavoz emitió un molesto campanilleo y unas carcajadas enlatadas. Se sucedieron entonces infinitas ventanas que Justo sólo pudo controlar desenchufando directamente el aparato.

Desde aquel preciso instante, envenenado por su propia saliva, Justo Munilla ya no fue la misma persona. Aquella noche volvió a casa destemplado y con el ánimo huérfano de un alivio imposible. Gloria no se dio cuenta de la derrotada entrada de Justo, hipnotizada por los rayos catódicos, que escupían un escabroso tratado de zoología humana entre constantes paréntesis de publicidad. Perturbada como estaba por el sañudo vocerío de unos cronistas diletantes que relataban con pelos y señales la separación de una princesa apócrifa y el adulterio de un empresario sin empresa, no se percató de su lamentable estado. Ese letargo le impidió prestar atención a la gélida presencia que en aquel momento recorría la casa como un fantasma asustado.

Justo nunca había sido un hipocondríaco, pero la sola idea de haber contraído aquella enfermedad infamante le turbaba la existencia. Hurgaba desesperado entre los cajones de su conciencia y sólo encontraba un amasijo de terribles consecuencias. Miedo, llanto, agonía y muerte. Significaba el fin, un dramático fin que llegaba a través de una muerte ignominiosa. Aquella noche fue la primera en la que el magistrado empezó a no dormir, preso de un desasosiego y de un quebranto intolerable. Un sinvivir.

Los días iban pasando y la angustia iba en aumento. Justo eliminó drásticamente su relación con Gloria. Ella le había observado tan huraño y deprimido que, obedeciendo a su instinto, no le molestaba y paseaba por la vecindad de su presencia sin importunar su depresión. Incluso tomó la decisión de suprimir su lunática ceremonia de desahogo sadomasoquista.

El drama de pensar en una muerte tan sucia y de imaginar por un instante que pudiera ser transmisor de ella, le impedía dormir. Creyéndose inoculado por aquel virus letal no lograba conciliar el sueño, y cuando a duras penas lo hacía, le despertaba de súbito la imagen de la guadaña. La ansiedad le consumía y le proyectaba frecuentes pesadillas, el miedo le estremecía y la segura inminencia de la muerte le mataba anticipadamente.

No podía seguir así, era imposible vivir con aquella lacerante incertidumbre. Debía hacerse los análisis cuanto antes y terminar de una vez. Era consciente de que los resultados gozaban de una confidencialidad absoluta, el silencio de Mefistófeles, el secreto profesional del diablo. Asomado a la ventana, bajo el poderoso influjo del plenilunio, desamparado entre las sombras de la noche, pensó con amargura que el barco se hundía y que la orquesta tocaba una melodía triste: *Blue Moon*. La luna le deslumbraba y le invitaba a pensar por un momento que aquella brasileña nunca había existido, que aquella aciaga tarde de molicie sólo era una evanescencia producto de su imaginación. Que todo había sido un mal sueño.

Pero el terror le estremecía y le impedía abrazar aquella lunática versión. Desesperado, clamaba socorro en las ordalías de la noche e imploraba la clemencia de su dios omnipotente y misericordioso. En su delirio alcanzó a ver una zarza ardiendo, pero sin megafonía. Lloró desconsoladamente. Lloró como nunca pensó que un ser humano pudiera hacerlo.

Dios, tú que tienes las llaves del infierno y de la muerte, apiádate de mí. (Apocalipsis, vers.18).

Tal alcanzaba ya su demencia que pensó por un instante cortarse las venas allí mismo, pero algo detuvo ese impulso. Un insólito argumento frenó su mano. El suicidio podía mancillar el escudo de armas del apellido y afear la reputación de la familia. Además, Justo era de los que creía ciegamente en la existencia del Cielo y, a pesar de sus pecados, quería visitarlo cuando llegase su hora. Era consciente también de que la Iglesia siempre había negado el recinto sagrado de los cementerios a los suicidas. El llanto sobrevino y anegó nuevamente sus ojos.

Ciorán opinaba que ir al cielo o al infierno no depende de nuestras acciones sino de la cantidad de lágrimas que derramamos. Eso el magistrado no lo sabía.

No, no hacía falta quitarse la vida. Aquella noche Justo ya presentaba la lividez de un muerto. La cuchilla ya no tenía sentido, los cadáveres no sangran. Y él ya lo era.

El carillón se resistía a dar las doce campanadas y parecía solidarizarse con su pesadumbre. Por un instante eterno detuvo el tiempo, pero tras un balbuceo, con un golpe seco y violento descargó por fin las campanas en su espadaña de caoba. El tañido inexorable le sonó como a duelo. La vida hecha añicos.

Con el ánimo definitivamente quebrado y el miedo aferrado a su garganta, se conectó nuevamente con la página de internet «Stop Sida» y leyó desesperado:

La prueba de detección se realiza mediante el test E.L.I.S.A. Se llamaba igual que la puta pero no reparó en aquella macabra paradoja. Allí leyó aterrorizado que para poder realizar unos análisis fiables debía transcurrir un espantoso trimestre. El llamado *periodo ventana.* No, no lo resistiría.

Aún mantuvo la pantalla del ordenador encendida y repasó destemplado aquel laberinto de letras:

Síntomas principales: Agotamiento prolongado e inexplicable, glándulas hinchadas, fiebre, resfriados, exceso de sudor, lesiones en boca, dolor de garganta, tos, respiración alterada, cambio de hábitos, estreñimiento, diarrea, malestar general, dolor de cabeza... Síntomas adicionales: Deterioro del habla, pérdida de memoria, disminución de la función intelectual, dolor de articulaciones, cansancio, comportamiento extraño, movimientos lentos, inquietud, tensión, estrés, visión borrosa, dolor muscular, pérdida de apetito, entumecimiento y estremecimiento...

Al juez le dio un vuelco el corazón. Justo creía tener ya todos aquellos síntomas y alguno más que no incluía la relación, una histeria que le abocaba a una especie de incógnito abismo de horror y vergüenza. A un abismo de locura.

Gloria, a pesar de su ensimismamiento televisivo, sus trajines domésticos y su dedicación al lanzamiento del viejo Fausto como estrella mediática e irresistible imagen de Sanilife se percató de la gravedad de su desazón, pero la atribuyó al exceso de trabajo en el Juzgado o a un nuevo acceso de recogimiento cristiano. Le había observado con los ojos acuosos besando crucifijos como si fueran reliquias, arrodillado contrito ante el Sagrado Corazón del dormitorio y musitando oraciones continuamente. También había dejado de comulgar.

No le importó demasiado, ya tenía al zángano de Vivales en su colmena de látex para representar el vuelo nupcial de la luna llena.

ESTO NO ES UNA PENSIÓN, ES COMO ESTE MALDITO diario, una casa de citas. Esa fulana del Brasil conoce de memoria las sesenta y cuatro variantes del kamasutra y las practica con destreza. La escucho a través de este tabique de papel. Siento el rítmico traqueteo de su cama y presiento las variantes libidinosas de su apasionada entrega. Imagino con pelos y señales las contorsiones de su erótica tabla de gimnasia: plinto, potro y barra fija.

Las paredes oyen y yo amplifico sus jadeos simulados y sus gemidos fingidos con la ventosa de un vaso en la pared. Me concentro con la atención y la cautela de un ladrón de cajas fuertes y participo con la mente en su particular orgía.

Boquea mejor que los peces. Sus quejidos e insultos escabrosos rebotan entre los muros de esta repugnante pensión y se confunden con los alocados latidos de mi pulso. También me divierte sorprender a los clientes en el pasillo. Una lección más para mi doctorado en putología. Así mato el tiempo. Patético.

A veces espío por el ojo de la cerradura sus escaramuzas sexuales. Incluso cuando noto que no ha echado el pestillo, abro ligeramente la puerta de su cuarto y la observo a hurtadillas por la rendija como un mezquino observador. Eso que los franceses resumen con la palabra voyeur. La penumbra difumina los cuerpos y la iluminación débil y rosácea que Elisa siempre conecta para dar mayor sordidez a sus encuentros sólo me permite ver un amasijo de carne en movimiento que hace volar la imaginación. El toma y daca de esos cuerpos esboza un excitante croquis en mi cerebelo.

Es mi más lograda fotografía erótica. A falta de pan, la única visión que me provoca un involuntario y ostensible efecto en la entrepierna. Además, confío en que esas turbias escenas sedimenten unas cuantas ideas de provecho literario. Por eso permanezco en el quicio de la puerta entreabierta sin perder detalle, reteniendo la imagen en la semioscuridad y conservándola en la retina como un retratista que dibujase los matices más lúbricos de la intimidad femenina. ¿Que hay de malo en ser una puta?

Debo hacérmelo mirar. He leído muchas veces *Más allá del principio del placer* de Sigmund Freud, aunque a juzgar por mi lamentable estado, sin ningún aprovechamiento. Sé que ella percibe el pequeño chirrido de la puerta y se da cuenta. La muy puta, sabiéndose observada, redobla su entusiasmo amatorio y transforma en alaridos sus jadeos. Lo sé. Se comporta como una gran estrella del porno. Como experto en la materia, he de decir que sobreactúa.

Hoy me ha sorprendido vomitando mis vísceras otro cliente de la brasileña. Un tipo extraño. Un pervertido. Eso es lo que irradiaba su rostro zoomorfo, sus ojos de cordero degollado y su carne de gallina. A pesar de mi tremenda borrachera pude percibir su turbación, su sentimiento de culpa, su sensación de suciedad. Sus ganas de huir de esta pocilga. Los elige con candil.

Estoy a dos velas. Mi liquidez no me permite utilizar los servicios sociales de Elisa. Me da vergüenza regatearle la tarifa. No soy un chuloputas. Así que mis bacanales se reducen a mil y una noches de consuelo solitario. Gracias a las monsergas orientales transmitidas por la agente de Galán, en ellas rindo culto a Kama, dios del amor hindú y a la diosa Siva y sus prostitutas. Mi idolatría al dios Baco se agota con la ofrenda a su salud del cáliz de jotabé, y mi santoral se reduce a Poe, Baudelaire, Bukowski y Malcom Lowry. Son mi aliento literario y etílico. Mi halitosis literaria. En ellos no sé si busco la inspiración o la expiración.

Brindo por Isis, Astarte, Venus y Afrodita, por todas las hetairas, las meretrices y las rameras. El altar se completa con la galería de fotos de tías en bolas que titilan en la pantalla de mi ordenador. Un fetichismo pornográfico que sólo oculta mi impotencia. Se me va la fuerza por la vista y por la boca.

Apenas avanza la novela. No tengo ganas de escribir. A quién le importa la vida anodina de una patrona amargada, de un viejo emigrante excéntrico y sentencioso, de un jacarandoso travesti o de una puta brasileña. A quién le puede interesar *Parada y Fonda*. Tengo las manos encallecidas y las uñas raídas por el constante mordisqueo. Hoy estoy bajo de moral.

Aquejado de insomnio crónico y protegido en el anonimato de un seudónimo al que aquí llaman nick, me sumerjo en el mundo enigmático y alucinatorio del chat, en el promiscuo mundo virtual del cibersexo. Ya son ganas de tocar la herida, de hacer leña del árbol caído. El chat es una enredada telaraña de tarados, obsesos y solitarios como yo. El sexo aquí es figuración y neurosis, pura caligrafía mental.

Yo intento hacerlo con estilo pero al cabo de cinco minutos me impaciento y desbarro. Entonces la pantalla se llena de palabras cortas y escabrosas, lascivas interjecciones y onomatopeyas. Una completa nomenclatura de perversiones. Una sonrisa vertical que en mi caso se convierte en una mueca triste y sardónica. Sicalíptica.

La imaginación y la adrenalina hacen el resto, y el afrodisiaco cibernético surte el efecto procurado en alguna parte de mi dañado cerebro. Entonces salgo de esta leonera y, para desquitarme, en el baño descifro mi peculiar interpretación del concepto de amor propio. Mi excitación de tarifa plana y paquete básico. Hago la guerra por mi cuenta y luego lo celebro por todo lo alto y busco en el alcohol lo que no encuentro en mis venas. Es la pócima que reblandece mi cerebro, desconecta mis sentidos y me impide eyacular, la pócima que ni siquiera hace posible la desahogada expulsión de ese fluido que condensa todos mis fracasos, mi infructuoso correo genético, el código de barras de mi propia destrucción. Mi herencia paterna.

Sólo soy un escritor cobarde y onanista que no encuentra el sentido de su vida. Ni siquiera lo busca. Son los avatares del destino y los estragos del alcohol. Siempre acabo varado en la bajamar de esta tempestad erótico-etílica y con la cabeza bajo el chorro de agua fría del bidé. Es la pila bautismal en la que renazco cada noche, mi particular hidromasaje cerebral. Mi sórdido *jacuzzi*.

Tiro de la cadena, el atronador ruido de la cisterna despierta algún sentido y me hace recuperar la verticalidad. Noqueado y demacrado, con los oídos zumbándome como si hubiera estado sumergido a quinientos metros de profundidad, vuelvo descalzo y a trompicones por el corredor de la muerte al horno crematorio que me convierte en jabón, al cuarto de los pasos perdidos, al nicho de mis peores pesadillas. Vuelvo a mi jergón como un abatido Dr. Jekyll, agarrándome a las sombras como si estuviera a bordo de un pesquero en alta marejada.

Hasta hace poco me defendía nadando contra corriente y me mantenía a flote, ahora sé que me ahogo en estas aguas turbulentas. Agárrate fuerte a mí, María, agárrate fuerte a mí. Pienso en mi madre y eso me procura cierta fortaleza, hace que me aleje momentáneamente de esta galerna nocturna.

Voy a acostarme otra noche más al lado de la muerte, entumecido entre estas sucias sábanas que son mi sudario. El insomnio me está matando poco a poco. He envejecido mucho en unas horas. Ni el diazepán ni el monótono murmullo de la radio logran que concilie el sueño. Al contrario.

Una noticia me sobresalta y hace vibrar todos los muelles del colchón. Cuentan que han detenido a Arturo Galán por un delito de violación. Y no precisamente de los derechos de autor.

No sé. Todo es muy confuso. Que un tipo con pinta de no haber roto un plato en su vida se convierta de la noche a la mañana en un brutal violador no tiene sentido. Me envuelve un sentimiento ambiguo. He intentado separar los labios para sonreír pero me ha salido una mueca extraña. No quiero hacer leña del árbol caído. ¿Para qué nos vamos a engañar? puede que en ese naufragio nos hundamos juntos. No es momento de pensar en ello.

Me cubren los últimos jirones de la noche. La raída cortina filtra un poco de claridad, creo que está amaneciendo, aún así, me deseo buenas noches. Estoy perdiendo la noción del tiempo.

AQUEL AMBIENTE PLETÓRICO DE RUIDO Y CALOR asfixiante había alterado las neuronas de la ciudad. La comisaría del distrito de Tetuán estaba más concurrida que la estación de Atocha. Un permanente trasiego de policías fatigados, denunciantes alterados y testigos nerviosos se mezclaba con una turba mestiza de delincuentes habituales, borrachines mendicantes, camellos de poca monta y abogados del turno de oficio. Letrados ajenos e indolentes, con el mismo interés por sus causas que aquellos criminales esperaban que tuviera el fiscal.

A través de un espejo, una mujer joven, morena, sin arreglar y con los ojos escondidos tras sus gafas negras, observaba con atención el aspecto de los miembros de una rueda de reconocimiento. La opaca frontera entre la vida y la muerte.

Los componentes se situaron en fila a lo largo de la pared con la indolente obediencia que sólo transfieren los trienios delictivos. No hacía falta mirar demasiado para saber quien desentonaba allí. Todos desaliñados, despeinados y ojerosos, con las facciones modeladas por la mala vida y la pinta de estar disfrutando de un breve permiso antes de volver al infierno. Una colección de rostros tipificados en el Código Penal que hubieran asustado en cualquier película de terror sin necesidad de maquillaje. Todos, excepto Galán. Tenso y abatido, con los nervios destrozados, la barba sombreándole sus tersas mejillas y el fatalismo fertilizando su mirada, pero con la dignidad secular de los Galán, la piel tostada, aún más por la estupefacción que por las regulares sesiones de rayos uva, y el polo Ralph Lauren.

Qué paradoja. Arturo Galán, brillante novelista, autor de éxito, columnista mordaz, en compañía de aquella caterva desgreñada cuyo único contacto con la literatura consistía en haber sido los mentores de cientos de atestados. Allí estaba, asustado bajo los palos, con el miedo del portero ante el penalti, ignorando quién habría pitado la pena máxima y sin poder adivinar hacia donde iría el disparo.

Alicia López se acomodó al otro lado del cristal oscuro. El teniente le hizo una seña sugiriéndole que se quitara las gafas de sol. La víctima tenía los ojos garzos, hinchado el lacrimal y la mirada perdida. Tan pálida y anémica que parecía necesitar una transfusión de sangre, tan inerte como un maniquí. A pesar de ello, su expresión era extraña, entre cruel y desvalida, entre víctima y verdugo. Sus labios gruesos perfilaban un gesto arrogante de mujer capaz de arruinar la vida de cualquier hombre. En contraste con aquella expresión, su voz tenía un timbre dulce y tembloroso, como de mosquita muerta. Una voz convincente con la que relató el drama de su violación con todo lujo de detalles. No dejó mucho hueco a la imaginación del teniente Ramírez.

—El número tres.

—¿Fue ése?

—Sí —afirmó mordiéndose el labio inferior.

—Tómese el tiempo que desee.

—No lo necesito. Fue él —ratificó señalando a Arturo Galán con el dedo índice teñido de nicotina.

—¿Está segura?

—Completamente —aseguró la joven sin pestañear. Luego se llevó las manos a la cara y comenzó a llorar desconsoladamente.

El escritor salió esposado de aquel patíbulo de sospechosos como si levitara. Aconsejado por su atildado abogado, utilizó uno de los derechos relatados y apenas dijo unas palabras.

—De aquellos polvos, vienen estos lodos —observó con sorna el policía.

—Soy inocente, teniente. Se lo juro.

—Ya... Eso dicen todos hasta que les apretamos las tuercas.

—Es una denuncia falsa, se lo aseguro. Tiene que creerme.

—Ya, ya. Por de pronto lo que es, es un lío muy gordo. Va a necesitar un buen abogado... Si es que hay alguno —le espetó jocosamente el teniente Ramírez regodeándose en la última frase.

Su sistema nervioso respondía con efecto retardado y el escritor no se percató del estúpido alarde de ingenio del policía. Estaba como anestesiado. Sus ojos acababan de estrenar un brillo de espanto y parpadeaban nerviosos como para quitárselo de encima. El miedo y el agotamiento en forma de sudor ya asomaban por su frente.

Tenía una coartada débil y difícil de explicar para un tipo que había labrado una más que rentable imagen pública de intelectual acomodaticio, *bon vivant* y mujeriego. El hombre de moda. Una coartada que no parecía oportuno rescatar de aquellos sucios baños públicos de la Casa de Campo. Una prueba diabólica. Tanto como encontrar una aguja en un pajar. Aunque la utilizase, seguramente, el testimonio de aquel chapero de esquina, si es que la policía lograba dar con él, tampoco le sería de mucha ayuda. No, no era aquél un buen momento para abrir las puertas de aquel sórdido armario.

La comisaría parecía estar en hora punta. La angustia reinante entre aquellas paredes elevaba la temperatura a límites de tortura. Los ventiladores repartían el aire torrefacto y los ordenadores echaban humo. Para colmo, un Cracker se había colado en los archivos informáticos y traía de cabeza a toda la Comisaría. Un virus, bautizado como Castorp, había saboteado el disco duro y de vez en cuando emitía una estúpida risita enlatada. Aquella era la señal que bloqueaba la memoria de los ordenadores, el chupinazo que impedía el almacenamiento de datos, interrumpía el buen funcionamiento de las impresoras y desconectaba el sistema del aire acondicionado.

El teniente Ramírez preparaba otra rueda de sospechosos casi con el mismo reparto de lujo. Una cuerda de presos con un aspecto tan siniestro que haría renunciar a su defensa al mismísimo abogado del diablo: rateros de baja estofa con miradas de doscientos vatios y drogatas pálidos y desdentados con tatuajes barrocos y los ojos tan hundidos como su vida. Esos tipos parecían capaces de traicionar a su padre si es que lo tuvieron.

Aunque el griposo ordenador no permitía consultar en el Registro de Penados y Rebeldes los antecedentes penales de los detenidos, su aspecto delataba que sus listas debían ser más largas que la lengua de Ramírez, que, con voz de mando, reclutó a la selecta clientela y la colocó en posición. Ya sabían de memoria como hacerlo.

Una anciana se situó al otro lado del espejo con actitud temerosa y vigilante. Sólo se atrevía a mirar hacia el suelo.

—No se preocupe, esos hijos de puta no la pueden ver —aseguró el teniente con una sonrisita desafiante. Su lengua, incapaz de quedar retenida en su boca, desplazaba un palillo con destreza de una comisura a otra.

La pobre mujer desfiló la mirada sobre aquella tropa de galeotes una y otra vez. Tardaba en decidirse, dudaba entre el número dos y el número cinco. Había sido tal el estado de nervios desatado desde el atraco, que no recordaba muy bien cuál de ellos le había robado el bolso a punta de navaja.

—Aplique el Edicto de Valerio —explicó con sorna Ramírez—. «Cuando tengas dudas entre dos presuntos culpables, condena al más feo»

La anciana miró al policía con un gesto de sorpresa.

—No me mire así. Un malhechor es una persona mal hecha, ¿no?

La mujer intentó vagamente sonreír pero se quedó a medio camino, sólo esbozó una mueca. Comprendió que el policía hablaba en serio.

—Pero, es injusto —protestó.

—Vamos señora, decídase, vale cualquiera. Son un hatajo de criminales, lo mejor de cada casa. Si no han robado el suyo, habrán robado otros.

—No estoy segura, puede ser el segundo, el quinto...

—El más feo. No se hable más. No dicen que la cara es el espejo del alma —concluyó el policía con su humor borrascoso.

Arturo Galán hacía tiempo que había dejado de parpadear. Acababa de descargar un camión de adrenalina y su cuerpo se había quedado sin reservas hormonales. El riego sanguíneo parecía estancado y la saliva se había convertido en una sustancia amarga y pastosa que le pegaba la boca como la cola arábiga, sólo podía mascullar para sí algo parecido a un soy inocente. Echó un vistazo a su alrededor, el angustioso ambiente de la comisaría hacía que su estupor se convirtiera inmediatamente en pánico. Desesperado, escondió la cabeza entre los brazos.

Cerca de allí un hombre muy moreno y delgado prestaba declaración. No hacía falta tener el oído muy fino para oír con nitidez lo que decía. Tenía un marcado acento árabe. El teniente dictaba a su subordinado lo que le parecía oportuno y se dirigía al detenido con extrema rudeza. Ramírez era de natural racista, xenófobo hasta la médula. Tras su paso por la comisaría de Ceuta había acentuado su odio hacia todo lo que le oliera a musulmán, pero desde los brutales atentados del once de marzo se había convertido directamente en un enloquecido cruzado integrista que precisaba imperiosamente de una reeducación si el Ministerio del Interior no quería tener un serio disgusto con él.

El cautivo se llamaba Mustafá Calim, tenía la mirada huidiza y parecía muy excitado. Se revolvía en la silla como aquejado por el baile san Vito. Un policía uniformado le registró de mala manera, obligándole a depositar sobre la mesa todas sus pertenencias. A su vera un abogado de oficio permanecía impasible como una estatua de granito, sólo esbozaba de vez en cuando una mueca de hastío, casi un bostezo. Tras el bofetón del teniente Ramírez, el marroquí frenó por fin sus convulsiones. Comenzó a relatar su historia con morosidad bajo la amenaza continua del reparto de estopa.

En Tánger, a principios de los ochenta, se había afiliado al clandestino Partido Comunista y había luchado contra el régimen de la monarquía alaoui. Fue entonces cuando comenzó a desobedecer las normas del Corán; bebía y comía lo que le venía en gana y no respetaba el Ramadán.

Vino a España en el año 86 en busca de una existencia más acorde con sus relajadas costumbres pero fue inmediatamente devuelto a Marruecos. Un coma etílico tuvo la culpa. En un concierto de Ramoncín en Pamplona se cogió tal borrachera que cuando despertó, la Cruz Roja lo estaba embarcando en Algeciras. Lo último que oyó en la península fue aquello de:

Litros de alcohol
corren por mis venas mujer,
no tengo problemas de amor,
lo que me pasa es que estoy loco por privar...

—Me pusieron algo en la bebida, comisario.

—Abrevia, mameluco. No tenemos toda la mañana. —apremió el teniente Ramírez, soltándole otro guantazo con el dorso de la mano que, aunque lo intuyó, no consiguió esquivar.

—¿Puedo fumar? —preguntó ansioso por encender uno de los pitillos que había esparcidos sobre la mesa.

—Ni se te ocurra, Muza, o te pongo la cara mirando a la Meca —contestó el teniente, apretándole el brazo con unos dedos como colmillos.

El marroquí se inclinó y dijo unas palabras en árabe. Se toco con los dedos la frente, la barbilla y el pecho, y continuó con su relato.

De regreso a Marruecos había sufrido una conversión radical. Una catarsis. Le conmocionó el suicidio de su mejor amigo, Ahmed, del que aseguraba que se fumaba diariamente unos treinta porros. Le encontraron con el pulso de un vegetal y no pudieron hacer nada por salvarle el pellejo. Aquella vivencia desencadenó una metamorfosis total. La crisis religiosa le llevó a replantearse sus costumbres, la existencia de Dios y la vida eterna.

En aquel tiempo, Mustafá compartía la escuela coránica con los estudios de medicina y se obsesionó con una extraña idea metafísica. La eternidad como ecuación matemática, como secuencia de fragmentos infinitos que tienden a cero. Alá es grande.

Ramírez, cuando no entendía nada se ponía muy nervioso. Retorció las manos con crispación y enrojeció de cólera.

—No copie nada de esto, Cabral, este moro nos está mareando de cojones. ¡Abrevia!

Decidió entonces ser un buen musulmán, dejó de beber y de ir de putas. Se hizo ferviente adepto de la sociedad religiosa de los hermanos musulmanes de Egipto, prohibida en Marruecos, y comenzó a sentirse perseguido. Afirmaba con vehemencia que la policía marroquí le había interrogado y torturado con sofisticados sistemas que no dejan huella.

Tras varios intentos, logró huir de nuevo a España en una patera sobrecargada que naufragó en las costas de Tarifa. Él se salvó gracias a la intervención de Alá. Intentó trabajar en Madrid pero a un moro sin papeles se le hacía cuesta arriba. Entonces conoció la discriminación y la marginación, incluso, según afirmaba, por parte de otros africanos.

—¿Qué se habrían creído, comisario? ¡Encima! Esos cabrones eran rifeños y yo marroquí —apuntó amagando el lanzamiento de un escupitajo al suelo.

Mustafá era muy histriónico y agitaba los brazos con nerviosismo. Se le veía receloso y desorientado. El policía que copiaba la declaración resopló y lanzó un sentido juramento. Una sonora carcajada como la del Pájaro Loco saltó por ensalmo de los altavoces y entre campanillas, una voz metálica decía: «Un bacilo vacilón, un bacilo vacilón...» Extinguida la risotada cibernética, el virus le expulsó de la aplicación devolviéndole a la pantalla del logotipo de la Dirección General de Seguridad. El ordenador se había vuelto loco. Había abierto un montón de ventanas y se había atascado en la página inicial, borrando totalmente de la pantalla la declaración del detenido.

Ramírez masticaba ruidosamente y se hurgaba en la nariz. Engullía su abigarrado emparedado del mediodía. Parecía capaz de comer de todo, desde una ensalada de ortigas crudas hasta setas venenosas. Se limpió con el dorso de la mano y rebuscó en el arsenal de su boca la más leve de las blasfemias. Se cagó en Dios.

—Empieza otra vez, maldito bereber —farfulló con la boca llena.

El abogado de oficio seguía impasible a su lado, sin meter baza. Sabía a qué atenerse. En los interrogatorios del teniente Ramírez los letrados nunca se ponían legalistas. El calor allí era insoportable y la atmósfera, una hedionda sinfonía sudorípara. El marroquí se echó las manos a la cara desesperado y, perdiéndose en largas disquisiciones, comenzó un relato sin orden ni concierto, repleto de lagunas, que apenas coincidía con el anterior. La declaración se hizo aún más disparatada. Donde dijo digo ahora decía Diego.

En Madrid conoce a unos predicadores de la palabra santa que le introducen en la vida de la mezquita Nour y se instala como predicador y sirviente del Imán. Fue entonces cuando se intensificó su delirio paranoide. Comenzó a pensar obsesivamente que allí también vigilaban sus movimientos, pues descubrió que el Imán estaba nombrado por su enemigo, el relajado rey de Marruecos. Sospechaba que le estaban envenenando poco a poco adulterando el té con peligrosos productos químicos. Se sentía amenazado, casi secuestrado en la mezquita. No podía salir de allí y no tenía el suficiente dinero como para pagarse una pensión.

Aún así, lo intentó. Trabajó un mes en Mercamadrid descargando cajones de fruta y en otras desagradables labores que ya no aceptaba ni el lumpen autóctono. Ellos le obligaban a ingresar todo el dinero en la caja de la mezquita.

Mustafá volvió a repetir el gesto de tocarse la frente, la barbilla y el pecho, y desgranó una retahíla de hechos cotidianos, que al nervioso Ramírez le parecieron nimios y exasperantes.

—¡Maldito beduino! Al grano. ¿Qué cojones pasó ayer? —rugió el teniente escupiendo un trozo de lechuga.

Se le atragantaba la cebolla, el atún y los juramentos, y el sudor emergía por todos sus poros. Se limpió la frente con un pañuelo sucio. Hacía mucho calor y la declaración del marroquí se estaba alargando más de la cuenta. Las venas le recorrían las sienes como una cordillera volcánica a punto de estallar. El abogado de oficio permanecía impertérrito, cabeceaba y bostezaba sin parar. Se había abstenido de intervenir pues sabía que Ramírez aplicaba su particular legislación antiterrorista a cualquier detenido que tuviera la tez más oscura que la suya. Una ley que incluía de vez en cuando una patada en los huevos.

El golpe bajo le desató la lengua e hizo regresar a Mustafá de los cerros de Úbeda. Cuando recuperó el resuello, agilizó con gesto estoico su trastabillado e inverosímil relato.

En la mezquita todo ocurrió muy deprisa. Terminada la última oración de la noche, le sobrevino uno de sus accesos místicos y pareció enloquecer. Se sintió distinto, como inoculado con una dosis fatal de odio y paranoia.

Cogió un cuchillo enorme de la carnicería, entró en la habitación del Imán y escuchando la voz de su conciencia, poseído por una desconocida furia homicida le apuñaló trece veces. Oía una voz que le impulsaba a hacerlo.

—Tome nota Cabral: Al moro le sentó mal el tocino, se le cruzaron los cables y se cargó al predicador —resumió Ramírez de un plumazo.

El risueño virus, el bacilo vacilón, volvió a la carga y atacó de nuevo. La declaración se fue otra vez al traste, pero Cabral, cansado de la errática charla del musulmán, se hizo el sordo, ocultó el accidente, golpeó la pantalla del ordenador y transcribió lo que le vino en gana a toda velocidad.

En su tercera declaración, los hechos cambiaron ligeramente. Mustafá acabó declarando que cometió el crimen por influjo de un hipnotizador.

—¡No te jode con el moro! Ahora resulta que al Imán se lo ha cepillado Juan Tamariz.

—No hay más dios que Alá, que me ha tocado con su aliento divino —concluyó cruzando los brazos sobre el pecho.

—¡Tú lo que estás es tocado del ala! —exclamó Ramírez jaleando su propia gracia. Su hendido mentón brillaba por la grasa de sus comistrajos.

—Alá se apiade de mi alma —gritó el musulmán con la mirada fija en el techo y canturreando monótono una serie de plegarias en árabe. Sus manos no estaban quietas ni un momento, contrastaban con las del letrado de oficio que, contagiado por el sopor allí reinante, se había quedado prácticamente dormido.

—¡Ahora nos sale por peteneras! Me saca de quicio. ¡Calla, moro de mierda, y firma aquí! —ordenó el teniente sacudiendo su gruesa pulsera dorada y pinchándole la mano con un palillo. Para Ramírez, un mondadientes tenía más utilidades que una navaja suiza.

Le extendió el papel de la estrambótica declaración, que tras los atascos informáticos y la imaginación de Cabral, había quedado repetitiva, absurda, repleta de circunloquios y prácticamente ilegible, y con el palillo le indicó donde debía garabatear su nombre.

Mustafá no pudo extender su historiada firma porque le sudaban las manos y los ojos se le habían entornado. Parecía a punto de un ataque epiléptico. Se quedó respirando sonoramente, ronroneando como al ralentí. Terminó acurrucado en el suelo recitando quejumbroso unos versículos del Corán. Quizá Ramírez le había propinado un nuevo rodillazo en el vientre o fueran jaculatorias moriscas. O quizá ambas cosas.

—¡Joder, qué tropa! ¿Quién está de guardia? —preguntó el teniente, volviéndose hacia su compañero.

—Santurrón —contestó Cabral, esbozando una sonrisa satisfecha.

—¡Hostias, santurrón! Los moros son gafes, si lo sabré yo. Qué Dios os coja confesados. ¡Andando! Os espera buena. Hoy vais todos derechitos al talego.

Galán fue conducido esposado hacia el furgón policial. Se enfrentaba a un largo proceso, una espeluznante pesadilla de togas, interrogatorios y papeles timbrados. De momento le aguardaba la tortura psicológica de la espera interminable ante el Juzgado de Guardia. Aquello no era lo peor. Estaba detenido por un brutal delito de violación y los indicios resultaban más que suficientes para enviarlo directamente a la cárcel.

Allí ahora las rejas son más finas, las suites más soleadas, hay televisión, un bar con precios asequibles y la comida es aceptable, pero no hay mucha vida social. Sólo media hora de aire fresco y un pésimo servicio de habitaciones. Seguramente, Arturo Galán no lo iba a pasar bien entre los reclusos de Alcalá Meco. En la cárcel las horas duran semanas, los libros están manoseados y los pasos se aprenden de memoria. Además, triunfadores como él nunca son bien recibidos allí y delitos como ése siempre tienen pena adicional.

EL JUZGADO DE GUARDIA ERA UN CONTINUO IR Y venir de gente y las mesas estaban repletas de papeles, atestados y carpetas de colores. Parecía imposible que aquella maraña de documentos desordenados encontrara sentido y acomodo coherente en algún sumario. Los ordenadores estaban apagados. El virus Castorp había inutilizado todo el sistema y había desarmado el programa Libra. Ya todos lo conocían por el «bacilo vacilón» Los funcionarios habían tenido que rescatar del archivo las antiguas Olivettis y el ruido allí era ensordecedor. Las entumecidas teclas de las máquinas se desperezaban y se familiarizaban de nuevo con aquellos dedos escépticos, la tinta apelmazada teñía otra vez el martilleo de las súplicas, las excusas y las versiones mendaces. Un aparato de radio en sordina se sumaba al bullicio reinante, amenizando con la sintonía de su crispada tertulia aquella enloquecida oficina judicial. Galería kafkiana donde todo es posible.

En los banquillos de madera, algunos habituales de la plaza esperaban a ser interrogados. Entretanto pegaban la hebra amistosamente e intercambiaban experiencias delictivas con los policías que los custodiaban. Amigos para siempre. Unos búlgaros discutían acaloradamente en cirílico, mientras Mohamed, en cuclillas, declamaba jeremiadas sarracenas e invocaba desesperado el perdón de Alá. Su posición indicaba que la Meca estaba orientada hacia la puerta del retrete. A su lado estaba el escritor Arturo Galán, completamente lelo.

Al fondo del pasillo, el abogado Carlos Vivales, perfectamente ataviado con su arrugada toga de carnaval y su cartera imitación piel, aguardaba su turno rodeado de un grupo de travestis. La noche anterior en el Mogambo, Pandora y sus damas de honor se habían pasado con el volumen del *I will survive* y una vecina los denunció, más que por el ruido, por el barullo y el desorden moral que allí se presumía. La policía se presentó en el club con un pequeño detector de decibelios y un furgón demasiado grande. Hizo la pertinente medición acústica y de paso una de sus rutinarias redadas al amparo de la Ley de Extranjería. A las reinas de la noche, el exhaustivo cacheo de aquellos mocetones no les importó, lo peor fue el albergue en comisaría.

Vivales asesoraba a Pandora y le censuraba el incalificable maquillaje. La juerga y la velada nocturna en los calabozos le habían procurado un aspecto a medio camino entre solícita geisha y Marilyn Manson. De paso, le recomendaba el uso de cuatro reglas de obligado cumplimiento en el trance de una detención: amnesia, sosiego, embuste y compostura. Él mismo ignoraba el origen de aquella improvisada ocurrencia procesal y se quedó ensimismado un instante pensando en qué libro de auto ayuda se habría documentado. Impresionado por aquellos elevados consejos jurídicos, el colorido y alocado séquito de Pandora hacía una colecta para abonar la provisión de fondos del letrado, que al olor del primer dinero fresco que ingresaba, se emocionó.

Una funcionaria iba y venía haciendo fotocopias, vestía como si la playa estuviera a doscientos metros, y un par de procuradores zascandileaban entre las mesas dando conversación y dolor de cabeza. La radio aturdía con un vocerío de tertulianos sabihondos, impulsivos y sofistas, pagados de sí mismos. Despotricaban a diestro y siniestro y opinaban con descaro de cualquier asunto que el santón de la emisora ponía sobre la mesa. En sólo unos minutos arreglaban el universo conocido y, si la publicidad les hubiera concedido más tiempo, el desconocido. Tenían respuesta y solución para todo. Pontificaban con atrevido desparpajo sobre la burbuja inmobiliaria, el selectivo Ibex 35, el índice Dow-Jones, el pulgar de Dick Watson, el arte cubista, el calentamiento de la tierra y el integrismo radical. Antes de que el Secretario la apagara, auguraron también la ejemplar condena que los jueces iban a imponer al famoso literato violador. Notarios de la actualidad.

Un toxicómano con aspecto cadavérico firmaba su presencia quincenal. Arrastrando las sílabas, ilustraba al funcionario sobre sus progresos recientes en la rehabilitación:

—La semana pasada me fue bien, pero ayer recaí. Entre pedir, el trapicheo y choricear, saqué cuatrocientos talegos y me los fundí en dos horas. No tengo arreglo.

Tras el tembloroso garabato, por temor a los contagios de aquel leproso, el auxiliar tiró el bolígrafo a la papelera con una mueca de repugnancia.

En la mesa colindante, un gitano enlutado con gesto atrabiliario, bastón de patriarca y sombrero de fieltro negro recogía una notificación y explicaba con soltura que el chico al que iba dirigida no podía pagar la multa porque no tenía trabajo, era «disolvente».

—Verá... la vida está muy achuchá. Ahora está en la fruta, en Lérida.

—¿Es usted familiar del imputado?

—Es el hijo de mi mujer.

—Su hijo putativo.

—Sin faltar. Me cagüen tus muertos...

El funcionario consiguió esquivar el golpe, pero la cachava se cargó la pantalla del ordenador.

En los pasillos ya se había formado un jaleo considerable. La noche en vela había puesto nerviosa a la farándula del Mogambo y estaba provocando que salieran a colación todas las envidias y trapos sucios del alterne ambiguo. Un agente judicial quiso poner orden entre aquel rifirrafe.

—¡Qué barullo es éste! A ver, los travestis de aquel corrillo. ¡Menos alboroto! Y de uno en uno, a declarar.

—Travesti lo será tu padre, ¡cucarrón! Yo soy una *drag queen* —replicó ofendida Pandora, haciendo un gesto grosero con el dedo corazón.

Ajeno a la algarabía de las oficinas, al Juez ni se le veía. Oculto entre pilas de libros, códigos, documentos y pruebas delictivas, Justo Munilla releía en su despacho con expresión ensimismada varios atestados de la Brigada de Delincuencia Económica y Financiera. Se regocijaba comprobando cómo se robaban las tarjetas de crédito, cómo se conseguían con suma facilidad los números personales y el uso que se daba de ello. Una mafia organizada por inmigrantes búlgaros operaba con tarjetas de crédito falsificadas en connivencia con unos conocidos Grandes Almacenes. Sobre su mesa reposaba un bazar de objetos intervenidos: Tarjetas blancas, troqueles, microcámaras, listados y codificadores de banda magnética. Un instrumental que toqueteaba como si fueran juguetes.

Las diligencias en el juzgado de guardia iban con mucho retraso, así que tuvo que interrumpir aquel mecano que le tenía enfrascado y recibir declaración al escritor.

La fiscal, una mujer morena de gesto adusto, miraba a Arturo Galán con desprecio. Mantenía la barbilla levantada y se dirigía a él con una voz exigente y antipática. Galán personificaba todo lo que ella detestaba en un hombre: Prepotencia, promiscuidad, violencia y afición desmedida por la literatura.

La vista entonces adquirió tintes surrealistas, convirtiéndose en una vulgar controversia literaria.

Justo Munilla, atrincherado entre los papeles que desordenaban su caótico despacho, no parecía prestar mucha atención a las alegaciones. El descontrol mental y el sentimiento de culpa lo atormentaban. Durante años se había dedicado en cuerpo y alma a Dios y a la Justicia. La santificación del trabajo, síntesis y esencia misma del mensaje del Opus Dei, había sido el sentido último de su existencia. Se había dejado las pestañas entre aquellos polvorientos sumarios con el encomiable fin de restaurar la paz, el orden y el derecho natural, limpiando las calles de Madrid y encarcelando a destajo a putas, drogotas y mezquinos criminales, compensando así la lenidad de sus otros compañeros de fatigas judiciales. Jueces de pacotilla que, persuadidos por absurdas teorías sobre reinserción y más interesados en el estrellato y en los ascensos, en vez de condenas parecían dispensar estancias en balnearios. ¿Y para qué? Dios le castigaba ahora con aquella angustia que le quemaba por dentro y parecía infectarle el pecho. Le expulsaba otra vez del paraíso sólo por haber sucumbido a la diabólica tentación de Eva y haber degustado el fruto prohibido del árbol del bien y del mal.

Justo suspiró atribulado y se atascó en la lectura del atestado.

Entre escasos razonamientos legales, segura de que su causa no necesitaba de mucho soporte jurídico para ser acogida por el tribunal, la fiscal lanzaba a traición una diatriba literaria.

Según su entender, existían libros que por su contenido perverso influían sobremanera en la mente del ser humano y le incitaban al delito. Para ilustrar sus argumentos enumeró una extensa lista de autores. Galán habría perpetrado aquella horrible violación inspirado seguramente en las perniciosas acciones que sus lecturas favoritas le proponían. Inveterado lector, como era público y notorio, de las obras del Marques de Sade, Sacher Masoch, Deleuze, Wilde y Giacomo Casanova, libros que nunca debieron imprimirse, e influido por aquellos terribles argumentos, el escritor se habría convertido en un abominable delincuente, en un perverso y lascivo obseso sexual.

Ante la gravedad de aquel hecho delictivo, las evidencias que constaban en autos y la alarma social desatada, el Ministerio Público solicitó la prisión provisional de Arturo Galán. El agresor había sido reconocido por la víctima sin ningún género de duda, el informe forense era determinante y las desahogadas costumbres de aquel pervertido confirmaban todos los indicios. En el cuerpo de Alicia López se habían encontrado restos de semen y saliva. La violencia había existido y, a juzgar por las erosiones y desgarros que presentaba, con bastante virulencia.

Galán no abrió la boca. Su abogado, un tipo pausado y erudito, se aflojó el nudo de la corbata e inició su intervención con una cascada de citas. Se felicitó de que la fiscal no tuviera una editorial y salvó de su lista a Poe, Baudelaire y a Dostoievski. Tal vez teatralizó en exceso cuando pidió la libertad provisional de su defendido.

En aquel momento no se trataba de decidir si el escritor era culpable o inocente, sólo de analizar si existían indicios de criminalidad suficientes para llevar a un hombre de su formación y prestigio social a prisión o de prever si existía un riesgo tal de fuga que le pudiera permitir eludir la acción de la justicia.

Concluidas las alegaciones, se hizo un gran silencio. Justo Munilla cerró los ojos, chasqueó los labios y dictó la resolución al funcionario. Con la fuerza del teclado, apenas pudo entenderse lo que dictaba.

Cuando hubo firmado el auto, un pequeño fulgor de cordura hizo que se preguntase si había actuado de conformidad con las leyes de su conciencia, si la profunda antipatía que sentía hacia la fiscal y el odio patológico hacia el género femenino, origen de su tormento y personificación del mal absoluto, podía haber influido en la toma de una decisión tan temeraria. Contra todo pronóstico, Justo había decretado la libertad provisional sin fianza de Arturo Galán.

Luego la luz de su conciencia se apagó de nuevo y dejó sin respuesta aquellas preguntas.

La noticia pronto saltó a las portadas de todos los periódicos nacionales en negrita y a cuatro columnas. Sorpresa, rabia e indignación eran las palabras más repetidas. Inmediatamente, el asunto fue tratado en rocambolescos programas televisivos de gran audiencia, patéticos vodeviles de costumbres que mezclaban la farándula y los sucesos, y analizado a conciencia en tertulias de famosillos y tarados sin ninguna preparación jurídica. Morbosos programas que mezclaban la crónica negra y la rosa. Unos pedían mano dura y poco menos que la pena de muerte y otros cuestionaban si una puta podía ser o no, víctima de un delito como ése. Al fin y al cabo, ella se lo había buscado, decían.

El escándalo levantó ampollas. En la opinión pública se desató la previsible polémica sobre la ceguera y la cojera de la justicia, y se puso en tela de juicio la alta costura de la túnica de la diosa. Para los medios de comunicación aquella toga se había convertido en capa encubridora y la capa en el desconcertante sayo de Arturo Galán.

A Justo le recomendaron por escrito unos días de descanso y le anticiparon que la Audiencia Provincial revocaría su decisión de forma inmediata y que, con total seguridad, se le abriría un expediente tan grande como su torpeza.

Gloria tenía una importante reunión con los directivos de la Compañía Sanilife en México DF con el fin de aclarar algunos aspectos sobre el lanzamiento publicitario de la bebida energética Mefisto. Allí iban a agradecerle los servicios prestados y a poner fin a su colaboración. A pesar de los consejos de su amigo Carlos Vivales, el viejo Fausto era ingobernable y podía hacer descarrilar los planes de la promoción. Había que tomar otras cartas en el asunto.

Conmovida por la alarma social desatada y el estado de salud de su marido, sugirió que le acompañara. Los mejicanos le aseguraban unos días libres para visitar la ruta maya y podía ser ése un buen momento para quemar las naves y superar el cortocircuito de sus vidas. Abandonar por unos días el vértigo de Madrid, el estrés de la plaza de Castilla y renovar su maltrecha convivencia enterrando en el monte de La Malinche la semilla del diablo.

Pero el país azteca no es el lugar más adecuado para purificar las almas. Ése nunca es el sitio para exorcizar la mente de un demente.

A LAS PUERTAS DE LA IGLESIA DE SAN JUAN DE CHAMULA, una niña chiapaneca de mirada huidiza regateaba con Gloria unos pesos a cambio de un puñado de pulseras multicolores y de unas desgreñadas muñequitas de trapo. La trenza de aquellos hilos era el único sustento para ella y para el hermanito que llevaba protegido bajo una manta sobre su espalda. Lupita exigió unos pesos más por dejarse hacer unas fotos y sonreír.

El sol picaba y trepanaba el cráneo de los turistas. Tras un aturdido paseo por el abigarrado mercadillo autóctono entraron en la iglesia.

Justo flaqueó en la puerta de entrada y pareció entrar en trance, narcotizado por la atmósfera de aquel terremoto espiritual indígena tan distinto a su fundamentalismo elitista. Los efluvios de las coloridas velas encendidas, diseminadas por el suelo de aquel templo espectral, le intoxicaban, dilataban sus pupilas y atontaban sus pasos perdidos. Habían traspasado la frontera de la cordura y se adentraban en un recinto tenebroso ambientado por un denso y penetrante olor a incienso, a través de un pavimento sembrado de ramas de pino que elevaban al consternado pecador a un firmamento desconocido.

Atrabiliarios indígenas tzotziles recitaban en corrillo letanías incomprensibles y echaban tragos de pepsi para eructar. Un desabrido chamán bebía un alcohólico mejunje, un poderoso aguardiente de caña y piloncillo al que llamaban poshs, y practicaba nigromancias y conjuros al lado de unas campanas que yacían en el suelo como símbolo de un Dios castigado por sus fieles. El castigo del silencio.

A los lados de la iglesia se alineaban extrañas figuras pintarrajeadas. Santos bárbaros, tapados con desmañados ropajes y adornados con collares, pañuelos y pequeños espejos. Mutilados iconos contra la pared. Imágenes desbaratadas a las que los indígenas dedicaban extrañas y exigentes preces y consagraban el sacrificio sangriento de un ave.

Justo ofreció dinero por las plegarias y el chamán le sacudió con unas ramas de pino, le invitó a beber de una botella sucia y le cubrió con una manta hedionda para ahuyentar los malos espíritus. Seguramente los fantasmas huyeron despavoridos de allí al cuarto trago del imbebible orujo. Ante el esperpento de aquel indígena, sus murmurados rezos y sus repetitivos eructos, Justo, a pesar de su desesperación, se abstuvo de duplicar el efecto benéfico con sus católicas oraciones.

Envuelto por el humo de las velas y el olor a copal, salió de allí aturdido y deslumbrado, hechizado por aquel espejismo de locura y por aquel abigarrado y espeso ambiente que se podía cortar a cuchillo. Máscaras feroces, velas encendidas, letanías ininteligibles, gestos de dolor, paroxismo y brujería.

El juez continuó el viaje entre ensoñaciones, ajeno al tránsito del tiempo. Comprendió que la fe era el único asidero al que esos pobres infelices podían agarrarse. Como él.

Chamba Lum, serpiente-jaguar, guerrero emplumado de Quetzal y ataviado con collares de jade, digno sucesor del rey Pacal-Kin, inicia espasmódico su cruel autosacrificio. Lleva veinte días sin comer, alimentado únicamente de peyote, pulque y otras hierbas y hongos alucinógenos. Se agujerea el pene y se desangra lentamente envuelto en un místico estado de somnolencia. La absorta multitud bajo la pirámide del Sol, le observa atónita y le confirma como un semidiós que pronto navegará por los dominios del inframundo.

Espantado por la evocación de aquellos sacrificios que incluían, según advertía con vehemencia el guía, la extracción en vivo del corazón de los prisioneros, sofocado por las escaleras de las empinadas pirámides, por la temperatura y la humedad del entorno selvático y por lo que creía, asedios vandálicos de la nefanda infección, Justo descansaba en Palenque y se secaba el sudor con su arrugado gorro de explorador. Resoplaba abrumado entre los chillidos de los guacamayos y los monos aulladores y tiritaba consternado ante las impresionantes ruinas mayas. Piedras engullidas por la agreste vegetación e invadidas por la vandálica selva. Como él, asaltado por el fétido aliento de la peste. El sida, una enfermedad que trepaba por su cuerpo como el bosque de niebla que le rodeaba.

Un estridente grupo de gringos no paraba de filmar y hacer fotos. Le pidieron que se apartara, pero Justo seguía ensimismado imaginando a los jóvenes guerreros mayas en el cruel juego de la pelota o fantaseando con cenotes llenos de tesoros, repletos de oro, ámbar, jade y máscaras diabólicas. Por fin Gloria le agarró del brazo y, entre risas bobaliconas, permitió a los americanos grabar el entorno sin aquella encorvada figura sudada vestida en Coronel Tapioca que era el magistrado.

En unos segundos regresó la monotonía de los turistas, la selva y las piedras, volvió el vértigo de los templos, de las emplumadas cabezas de serpiente, de las víctimas inmoladas. Entonces se sintió ciudadano de Palenque o Yaxchilán. Aquellas ciudades abandonadas repentina y misteriosamente en el siglo IX a causa de epidemias, invasiones, hambrunas, astrología, virus... ¿Quién sabe? Tanta vanidad y tanta gloria sepultadas bajo la selva.

Todo allí le recordaba la ruina y la muerte. Las llamas del infierno. Cegado por el sol, su mente se mortificaba en espejismos de otra dimensión. El zumbido de los insectos, la adherente neblina, la hiperbólica vegetación, las sombras de las víctimas, los pozos, los laberintos, las profundas cavidades subterráneas. El interior de la tierra. Una angustia desmedida le impulsaba a examinar el precario equilibrio de su cuerpo, a lanzarse escaleras abajo de aquellas pirámides. Se sentía como un leproso, un apestado.

Ebrio de selva, Justo se perdió. Apareció aterrado al cabo de cuatro horas sobre una tumba de piedra, una especie de altar que los antiguos mayas utilizaban para sus sacrificios humanos.

Sumido en un abismo de oscuros presagios y difusas dolencias confundió la cuerda de turistas con la abigarrada senda de las zahurdas de Plutón. Presentía la amenaza de un germen oculto y mortífero, la inminencia del martirio y de la muerte. En su delirio hipocondríaco vio por primera vez al diablo. Entonces comprendió con una lucidez absoluta que se había vuelto loco. Una locura aceptada por el magistrado con resignación cristiana, como mal menor, como se acepta la agonía antes de la muerte.

Es locura vivir colgado de la Divina Providencia: No toméis nada para el camino, ni báculo, ni alforja, ni pan, ni dinero, ni llevéis dos túnicas (Lc. 9,3).

En el avión de regreso a España sufrió algo más que el síndrome de la clase turista y las azafatas de Iberia, además de una elevada dosis de transilium, tuvieron que ponerle el chaleco salvavidas a guisa de camisa de fuerza.

SOBREVIVO DE MALA MANERA EN ESTA SÓRDIDA PENSIÓN. Éste ya no es sitio para vivir. Es más apropiado para morir.

Hoy estoy más deprimido. Las palomas, apostadas en el balcón me observan paranoicas con el rabillo del ojo. Voraces y desafiantes picotean y pisotean con deliberada saña los geranios mustios de la patrona. ¡Qué se joda! Esos bichos son como ratas con alas y se comportan como los cuervos de Poe. Ignoro a quien cojones se le ocurriría escogerlas como encarnación del espíritu santo o como símbolo de la paz. Esos pájaros me torturan con sus arrullos y me impiden escribir. Y así, *Parada y Fonda* no avanza. Se avecina una catástrofe. Ya he fundido el anticipo de Marcela Sumalavia y aún no he pasado del primer capítulo.

Sigo sin encontrar el tono del relato y ni siquiera tengo claro el argumento. La frivolidad se ha adueñado de este antro y mi imaginación no da para más. No hay forma de sintetizar en palabras el mundo cutre que me rodea. El encargo de plasmar sobre un papel este ecosistema de perdedores y fracasados no parece llegar a buen puerto. Últimamente al abuelo se le ve más contento. Parece que ha hecho buenas migas con el nuevo huésped y se ha olvidado de darme consejos, de recitarme a Shakespeare y de cantarme tangos. Ese estúpido abogado me saca de mis casillas, le ha debido buscar al abuelo una ocupación distinta a conversar y ver la tele.

Este cuarto de mierda no es lugar para un escritor. Me gustaría escribir sobre el velador de una taberna, a orillas del lago Ontario, como Malcom Lowry y no en esta puta mesa camilla de aglomerado que cojea. Hoy he calzado las patas con *El largo adiós*

¡Maldita sea! Vuelven los temblores y mi letra de psicópata. El párkinson etílico. El trazo recto y amargo, el bucle melancólico. Mi infinito desasosiego. Podría parar el mundo si quisiera. Sólo tengo que pegarme un tiro. Me estoy poniendo trágico, y ese tono no me conviene.

Vuelven los fantasmas de los cuartos más oscuros de mi mente y llenan de filosofía barata este diario. Las pajas mentales me atormentan con la idea de la destrucción y de la posteridad. El hombre es el único ser que puede prever su muerte. Incluso anticiparla. Odio ese instinto de supervivencia con el que nos aferramos a la vida, ese instinto que nos envilece y nos iguala a todos los seres vivos. En el fondo, degrada nuestra grandeza.

Lo confieso, me obsesiona la idea del suicidio. Pienso en todas las maneras de hacerlo, con ritual y sin él. ¿Quién no ha sentido alguna vez el impulso de Thánatos? La idea de desaparecer de un plumazo no para de reclutarme neuronas, pero no tengo huevos. Ya soy un poco mayor para ello y esta ciudad no es tan propicia como París, me digo. Ya sé que no hay vida después de la muerte, pero en mi caso, tampoco la hay antes.

Además, abundan los escritores que se han quitado la vida. Acto simbólico o estético. ¿Quién sabe? Es el marchamo de calidad, la última pirueta literaria. Los escritores, según Scott Fitgerald no son exactamente personas. El escritor de verdad deja su vida a trozos en lo que escribe, acaba como un leproso con campanillas hasta que comprende que las campanillas ya aturden y que ya no hay nada más que contar ni más carne que perder. Que todo está dicho y escrito, que no queda nada por hacer. Es la misma conclusión a la que llegan todos los suicidas. La misma a la que debió llegar mi padre.

Escribir siempre ha sido una actividad de alto riesgo. Algo en lo que ocupan el tiempo los que no saben hacer otra cosa, algo con lo que ocultar nuestro hastío y nuestro aburrimiento. Vivir es otra cosa. Esto es sólo un sucedáneo. Y si no se sabe vivir, ¿por qué seguir haciéndolo?

Me pregunto por qué escribo. Es posible que lo haga porque esté solo o porque esté loco y con ello quiera dar un sentido transcendente a mi vida. Algo así como la inmortalidad de la memoria.

A un escritor le queda la idea de que continuarán leyéndolo cuando ya no exista. Y ese es su futuro

Estoy de acuerdo con esta chorrada que dijo Sartre, aunque, al paso que voy, yo ni siquiera tengo ese consuelo.

Aquí resultaría difícil quitarme la vida. Una ventana siempre esconde la tentación de saltarla, pero si me tirara por ésta, seguro que las corrosivas cagadas de paloma amontonadas en el patio harían de colchón. Mis hojillas de afeitar no cortan y tampoco dispongo de un surtido botiquín con calmantes y estupefacientes llenos de contraindicaciones y efectos secundarios con el que atiborrarme de pastillas. Quizá tenga que conseguir una pistola y pegarme un tiro en la boca. Algo discreto, una de pequeño calibre, tampoco necesito una Mágnum del 45 para eso. No, renuncio a ello. A un escritor de mi talla le corresponde un suicidio singular. Como el de aquel japonés maricón.

Yo ya he elegido el mío. Nada original, por cierto. Me estoy quitando la vida poco a poco con la bebida. El alcohol es lo único que puedo comprar sin receta. Me mato a tajas y a pajas.

A veces cambio de idea. Aunque mis heridas son profundas y dolorosas, y por las noches me encierro en mí mismo y me vengo abajo, me está costando tanto subsistir que no sería justo tirar la toalla. Sé que voy a morir, no hace falta anticiparlo. Borges sostenía que sólo los animales son inmortales porque carecen de la conciencia de que van a morir. El muy cabrón siempre tenía una frase para todo. Seguro que tenía un negro pensador al que le compraba las frases a peso. Como Galán.

Este diario me agota. Me obliga a repasar mi vida y eso me deprime. No quiero hablar del pasado. Me quemo por dentro. Se me ocurren a bote pronto unos cuantos motivos para quitarme de en medio, pero por el momento prefiero postergarlos porque, aunque sospecho que me falta alguna pieza, todavía tengo el rompecabezas de mi vida a medio hacer. No es momento de pasar al otro lado del espejo. Ese puto espejo cóncavo que siempre distorsiona mi rostro, que siempre me devuelve con réditos mi fracaso. Más que espejo, espejismo.

Su imagen reflejada me inquieta. Tengo tan mala cara como un cadáver sin maquillar. Me palpo asustado las arrugas y los archipiélagos de mi barba. Descubro la misma mueca que mi padre, sus mismo gestos. Mi congénito instinto suicida. Parece que no sólo he heredado su rostro, también su pesimismo.

He perdido la cuenta del tiempo que llevo encerrado en este cuchitril. Empaño el espejo con el vaho de mi aliento para no verme y asustarme más. Expulso a las palomas de mi templo, su arrullo me adormece. Necesito el sosiego de otra copa, la paz del espíritu. A veces echo de menos esos momentos en los que no bebo. Cuando no tengo a mano una copa me viene el tembleque y la bajada de tensión, entonces los sístoles y diástoles retumban en mi pecho y me provocan una fuerte migraña.

Pero me repito cientos de veces que no soy un borracho. Yo no soy uno de esos tipos sentimentales que se dejan arrastrar por la nostalgia y la melancolía. No, mi nivel es superior. Mi ambición vuela como la diosa de la Fama y el delirio etílico me lleva a imaginar el éxito y la gloria literaria.

Ya estoy desvariando. Es el jotabé, que siempre me provoca estos cortocircuitos en mi sistema nervioso. El suelo se abre a mis pies y me arrastra un remolino de palabras. Recuerdo la imagen de Nicolas Cage en *Living las Vegas*. Se pasaba toda la película borracho como una cuba, dando lástima como un perro vagabundo. Así estoy yo. He de ser franco y sincero conmigo mismo, no puedo mentir a mi diario. *In vino veritas*. Antes me consideraba un dipsómano pero ahora debo asumir sin ambigüedades mi condición de bebedor. Poco falta para ser un suicida como él.

Echo otro trago y siento que me desvanezco, que floto como un astronauta borracho. La sensación dura unos minutos, no tardo en desplomarme en el miserable jergón. Veo sombras agitándose entre estas cuatro paredes. Quiero huir, salir de aquí, pero este camastro de faquir me imanta en su regazo. Agitado por la tiritera, con el único sentido que obedece, observo impotente como trepan las peludas arañas por las paredes y se pierden en los agujeros negros de las goteras, como se descuelgan del techo las enormes orugas y me hacen cosquillas en la nariz. Las abejas zumban amenazadoras y se arraciman a la renegrida bombilla. Oscurecen aún más la habitación. Parece que bajo la cama circulan cientos de hormigas, y minúsculos ratones entran y salen del armario. Un escuadrón de moscas de alas verdes bulle en torno a mi cabeza. Fijo como puedo la vista en el espejo. Ahora ya no refleja mi rostro de suicida. Son máscaras espeluznantes. Oigo voces. Es la imagen de un coro de burlas y risotadas. Me he montado en un fantasmagórico tiovivo y cabalgo sobre monstruosos animales mitológicos que intentan que muerda el polvo. Giro y giro hasta conjurar el delirante mareo y quedar completamente exhausto. Aquí no hay gigantes ni molinos, sólo fantasmas. Serán cosas de encantamiento.

Aterrado, me aparto del espejo. Mis ojos son ahora como microscopios. Tengo un dolor punzante en el estómago, el cuello como aquejado de tortícolis, la frente sudorosa y las manos casi viscosas. El cuerpo está cada vez más pesado y no logro incorporarme de la cama. Quizá yo también sea un monstruoso insecto como Gregor Samsa.

El suelo parece inclinarse. Se apiñan en un rincón todos los objetos de la habitación. Se amontonan esos libros de los que robo las palabras, de los que plagio ideas y saqueo metáforas. Este barco se va a pique con todo el botín de mi canibalismo literario.

No es fácil vivir así. Nadie sabe nada del alcohol, afirmaba Poe, excepto los borrachos. El secreto no debe comunicarse a nadie por supuesto. Pero yo debo desvelarlo cuanto antes. Ese secreto tiene que ver con la viscosa materia de la que están hechos los sueños. Los sueños rotos.

¡Hostia puta, vaya resacón! Ignoro cuanto he dormido. En mi estado, el tiempo no lo doblega un simple reloj. En este exilio tan fúnebre los días pasan sin pena ni gloria y arruinan cada vez más la esperanza de sobrevivir y de convertirme de una puta vez en escritor. Es de noche otra vez. Esto tiene que cambiar, me digo. Tengo el cuerpo tullido y la cabeza como un sonajero. He de terminar con esta angustia, con esta rutina mediocre y cortarme la mano derecha para dejar de beber, de escribir y de hacerme pajas. No sé cuál de las tres cosas me está perjudicando más.

Me despierto sobresaltado, acurrucado bajo la cama, con un espantoso dolor de cabeza y un quejumbroso relincho estomacal. Inicio mis particulares maniobras de reanimación y pongo la radio. Dicen que han dejado en libertad a Arturo Galán. A juzgar por el delito del que se le acusaba, no parece una decisión lógica. Me suda los huevos. Quizá siga dormido. No. Me pellizco y me restriego los ojos. Galán está en la calle y yo estoy despierto. Este no es el sueño eterno ni yo un detective seductor de serie negra. Soy el negro que le baila el agua.

Mañana es la noche de San Juan. Siempre es un buen momento para la catarsis, para ahuyentar los malos espíritus, para saltar sobre el fuego que purifica. Necesito un butrón que me permita salir de este agujero. A vida o muerte.

FAUSTO BANDARRA, A PESAR DE QUE COMENZABA A desentonar un poco allí, seguía hospedado en el Hostal Carlos II. Los mejicanos no podían permitirse más alegrías y le habían llamado al orden. Su paso por los odontólogos, dermatólogos y estilistas de la empresa daba sus frutos y su metamorfosis estética comenzaba a notarse. Además, el viejo ahora parecía contento. La renovada confianza depositada en él por los ejecutivos de Sanilife le hacía olvidar su sentimiento de hastío, su estigma de derrota, sus remordimientos.

Quizá fueran ciertos los efectos de Mefisto Así debía ser, él tenía que ser el primero en mentalizarse, en creer en aquél bálsamo de fierabrás y así transmitir con entusiasmo de converso la ficción que se escondía tras aquella lata refrescante de color negro. A decir verdad, esos tipos no debían tener mucha confianza en el producto cuando le habían elegido como imagen de la marca, pero eso el abuelo no se lo preguntaba.

Disciplinada la rebeldía de Fausto, Sanilife se disponía a iniciar la operación fundamental, su lavado cerebral.

Aquella mañana el sol irrumpía con fuerza y blanqueaba las paredes de la oficina. Un trajeado ejecutivo estaba jugando una partida de ajedrez con el ordenador y apenas prestó atención a la llegada del abuelo hasta que unas inoportunas flemas le hicieron toser bruscamente.

—Byrne contra Bobby Fisher. Esta partida la jugó Fisher en el año 56 con trece añitos. El inicio de su leyenda, amigo. Un monstruo —dijo emocionado.

Cerró el programa informático, se dio la vuelta y regaló al abuelo unos cuantos elogios sobre sus meritorios progresos estéticos con el tono rotundo de los de Bilbao. Aunque esa parte del trato ya la conocía de la persuasiva boca de Gloria, el vasco comenzó a explicarle con vehemencia las estipulaciones más atrayentes de aquel contrato que le unía a la firma mejicana de forma vitalicia. Omitió, eso sí, las cláusulas escritas en letra minúscula y los compromisos y las servidumbres a que se obligaba el pobre de Fausto. Éstas incluían un cambio total de vida y una identificación absoluta de su persona con la multinacional. El viejo debía abrazar apasionadamente y con urgencia las leyes del mercado publicitario, y eso exigía ser amable y políticamente correcto las veinticuatro horas del día y estar dispuesto a renunciar a cualquier tentación que no fuera prescrita por los directivos de la empresa. Además, y esto era lo más importante, debía simular vigor y felicidad en todo momento. Aquella sumisión no se había dejado al albur, estaba atada y bien atada bajo contrato con los consabidos apercibimientos legales. Un pacto cuyo incumplimiento provocaría la ruina total del abuelo.

—¿Esto también lo tengo que tomar?

—No es nada abuelo. Nieve pura. Tome.

El ejecutivo hizo una raya de cocaína con su visa-oro y se la ofreció al abuelo que, ignorante de su consumo, se limitó a chupar la sustancia.

—Aspire, aspire —y repitió la operación—. Sólo es un pequeño estimulante que nos ofrece la naturaleza. Esencia del espíritu y fortaleza del cuerpo. Procede de la planta ancestral más prodigiosa de América. Nosotros somos los primeros en confiar en Mefisto, pero el éxito de la campaña precisa de algún aditivo. Aspire, aspire...

La luz penetraba con fuerza por un ventanal que daba a la calle Marqués de Riscal. El atildado ejecutivo de Sanilife tenía la cabeza completamente rapada y un tono de voz musical y monótono, que adormecía al abuelo como un valium 25. Le hablaba de cosas que sólo entendía a medias: Competitividad, inserción en el mercado, mentalización, interés empresarial, promoción.., y aliñaba el estribillo con el lema de la campaña: «Despega con Mefisto. A vida o muerte, tu última oportunidad»

Fausto debía ensayarlo cientos de veces y enfatizar el mensaje pasándose la lengua por los labios y arqueando las cejas a modo de maduro irresistible. La empresa, encarnada en aquel hombre siniestro de traje gris, le mostró un vídeo de Sean Connery y otro de Federico Luppi como muestra de lo que querían.

—Ahí los tiene, abuelo. En la flor de la vida.

Después de la sesión de *lifting* cerebral, el viejo salió aturdido de aquel despacho de la Castellana, respiró hondo y se desahogó con una tos profunda de la congestión pulmonar provocada por aquel polvillo blanco. Se palpó el bolsillo interior de la chaqueta y con disimulo desenroscó la petaca y echó un lingotazo largo y clandestino a gollete para olvidar el regusto farmacéutico de la cocaína. Sintió una euforia renovada y por un momento regresó a su Buenos Aires querido.

Corrientes tres cuatro ocho,
segundo piso, ascensor;
no hay porteros ni vecinos
adentro, cocktel y amor.

En el portal, la luz de la cámara del portero automático se encendió y una voz profunda y reconocible le advirtió:

—Ah, Fausto, se nos olvidaba: nada de alcohol.

AL DÍA SIGUIENTE TOCABA SESIÓN MARATONIANA DE logopedia y de respuestas ágiles e ingeniosas. El vasco de la cabeza rapada, el traje gris y la voz tenebrosa era el menos indicado para impartirlas, así que le acompañaba otro hombre bajito y rechoncho, con bigote poblado, malencarado y con una incipiente barba azabache que le trepaba hasta las gafas sin montura y que no lograba esconder del todo una cicatriz blanca que le tensaba el rostro de la oreja a la boca. Un lobo con piel de lobo. Quizá aquella cicatriz sólo fuera una malformación congénita o, a juzgar por su torva mirada, la secuela de un subterráneo mundo delincuente, de una cesárea de confidencias y delaciones sin anestesia. Vestía completamente de negro, a juego con su alma y no parecía un vulgar mamporrero de la empresa. El tipo era mejicano, de la frontera y, aunque se expresaba de una forma teatral y tampoco vocalizaba demasiado bien, atontaba con su palabrería ranchera. A Fausto sus facciones le recordaban la imagen más cruel de Pancho Villa.

El hilo musical emitía Polonesas y Nocturnos de Chopin, una selección musical que deprimía al abuelo casi tanto como la repulsiva sonrisita del logopeda de Tijuana.

Se acercó y le saludó con efusividad, atrapando férreamente la mano del viejo, estrujándola como a una bayeta. Era una mano tan dura y fría que parecía ortopédica.

—Fausto Bandarra. Ummm, qué nombre más pendejo.

Tras unas cuantas sesiones de centrifugado cerebral y chistes malos, el abuelo, aún tullido por el apretón de manos, no parecía reaccionar del modo deseado ni denotaba los signos de entusiasmo que se esperaban de él. El ambiente en la sala se enrarecía y ya se percibía escéptico, confuso y frío. Por ese orden.

El mejicano sacó una bolsita de la cartera y extrajo con la ayuda de una llave una puntita de cocaína que desapareció entre su poblado bigote. Se frotó la nariz y repitió la operación. Luego acercó la llave a la nariz de Fausto con un gesto sin matices que no admitía negativa.

—Perico, don Fausto. Canela fina, Lady pura, cuate. Un poco de energía. Un regalo de mis amigos mariachis de la Candelaria de Bogotá. De las hojas seleccionadas en la época lunar más propicia para la ofrenda ritual a la Pachamana, la madre tierra. Cómo no. Diez mil años de tradición. *Mens sana in corpore sano,* el complemento ideal para el éxito de Mefisto. Vamos cuate, no se me haga el chingón. Los de la cocacola compran cargamentos de basuco a los campesinos bolivianos del Chapare y como si nada.

Fausto enmudeció ante tamaña parrafada y le miró con unos ojos náufragos. Frunció la nariz y se tapó un orificio nasal imitando lo que acababa de ver, pero los pulmones se le esponjaron y emitieron un sonoro bufido. Le sobrevino una sensación repentina de angustia. Entonces cruzó una mirada triste y cansada con el mejicano que, contrariado, se limitó a sacudirse el traje.

—¡Panoli! Jálese una silla y platicamos a gusto. ¿Qué le preocupa, don Fausto? Es nomás interés por usted —dijo, en un tono como si de veras le importara. Movió los brazos como aspas y le dio una enérgica palmada en la espalda. Un tantarantán que casi lo derriba.

Tras un momento de vacilación, el abuelo contestó:

—No les quiero mejicanear, ni hacerme el pelotudo con ustedes, pero creo que no estoy preparado para la campaña publicitaria. Todo esto de Mefisto es una pavada, una milonga —añadió el abuelo con un gesto de desagrado.

Aquel comportamiento cogió desprevenido al mejicano, que chascó de forma audible los nudillos de sus dedos. En fracciones de segundo, la cara se le tiñó de un color casi morado, feroz.

—¿Qué clase de pendejada es ésta? —preguntó malhumorado.

Parecía a punto de sufrir una hemorragia interna. La cicatriz se le enrojeció hasta parecer una herida. La respuesta de Fausto fue muda y se coaguló en una mueca.

—Vamos, Fausto, no nos venga con monsergas a estas alturas. Usted ha firmado un contrato. ¿Lo recuerda? —amenazó el calvo del traje gris, masticando las sílabas.

—Sí, pero todo es una macana, una bufonada. Me acalambro sólo de pensarlo. Es una cuestión de principios —replicó el abuelo armándose de valor y limpiándose el sudor de la frente con el dorso de la mano.

Aquella frase resumía toda la incertidumbre.

—¡Ah, hijo de la gran chingada! ¿es sólo eso? ¡ándale! Principios... —estalló el mejicano, y sonrió cómicamente, mostrando una hilera de dientes sarrosos. Luego se administró otra raya de coca en la palma de la mano y la hociqueó con destreza.

—Me da mala espina. Aunque no lo parezca, yo soy un hombre íntegro.- Repuso el viejo.

—¡No me sea ingenuo, Fausto! —exclamó cacheteando su cara.

—Todavía cree que la publicidad ha de ser verdad. En este mundo el único principio que sirve es olvidar que los tienes —añadió enojado el calvo de Neguri, arreglándose por enésima vez el nudo de la corbata.

Fausto seguía aferrado al asiento, encogido y con las piernas apretadas. Tenso como en la silla eléctrica miraba perplejo a los dos ejecutivos que le escoltaban. No le parecían humanos. Se acordaba de aquellas películas de ciencia ficción en las que unos alienígenas invadían la tierra y robaban los cuerpos. Ahora creía reconocerlos, sí, eran ellos. Ya están aquí —pensó para sus adentros.

Tenía los labios resecos y un dolor agudo en la garganta. En aquel momento sí que hubiera necesitado un trago largo de su petaca, pero recordó la prohibición y se contuvo.

El calvo enrojeció y metió baza con su hablar trompicado y cantarín. Frunció el ceño, se compuso el nudo de la corbata y soltó a trompicones algo parecido a un discurso repleto de mayúsculas. Casi el mismo sermón que le había empapelado Gloria en el restaurante cuando le contrató:

—Utilizamos técnicas de persuasión. Eso es todo. En publicidad, amigo Fausto, no se pretende encender la mecha del juicio sino la de la voluntad. Aunque no sea cierto, se trata de que los abuelos se crean que Mefisto les puede procurar la felicidad. El soma. El bálsamo de fierabrás.

—La búsqueda de ese bálsamo ha llenado el mundo de cadáveres desgraciados —apuntó Fausto.

—No se ponga transcendente, Fausto. Ya somos mayorcitos. Existe una edad en la que se hace sexo, otra en la que se hace el amor y otra en la que se hace el ridículo. Esta pócima promete recuperar el tiempo perdido y hacer olvidar la última fase. Hedonismo, Fausto, ése es el lema. Hacer que los viejos se convenzan de que es posible retrasar la decadencia y la decrepitud. El mundo feliz.

—La felicidad no está en nuestras manos, es una chispa caprichosa de los dioses —filosofó Fausto. Seguramente, aquella frase lapidaria la habría rescatado de la letra de algún tango.

—Hablando de chispas, ¿se acuerda de lo de la chispa de la vida? Bueno, pues algo parecido pensamos vender a los abuelos. La realidad es muy triste, contagia amargura y frustración, nosotros regalamos ilusiones y sueños, la fantasía de la inmortalidad.

—Pavadas —resumió el viejo.

—Fausto, recapacite. Le recuerdo otra vez que ha firmado un contrato.

—Papel mojado...

—Seamos sensatos. Entérese de una vez, abuelo, esto es pu-bli-ci-dad —silabeó—. En este mundo el producto sólo cumple un papel accesorio, la verdad aquí nunca juega un papel importante. Se lo aseguro, la verdad ha sido un estorbo para la seducción siempre —concluyó recalcando el adverbio.

El mejicano alzó la vista y caminó de un lado a otro del despacho paseando a grandes zancadas su nerviosismo. Andaba con las piernas arqueadas y los brazos en movimiento. Daba la impresión de estar siempre presto a desenfundar un revólver. Se acercó al abuelo y le tiró de las solapas de la chaqueta, zarandeándole ligeramente.

—¡Pinche viejo cobardón! No se me arrugue ahora, don Fausto —y le atravesó con sus ojos opacos como aceitunas negras.

—Pero...

—Nada de peros. Se me hace bolas el barniz. No puede dejarnos a estas alturas, cuate. No puede... Acuérdese del trato y limítese a cumplirlo. Nosotros contentos y usted se lleva la lana. Luego, todos compadres y aquí paz y después gloria. Si abandona, necesitaría otra vida para resarcirnos —concluyó amenazante. Y prosiguió con un alegato preñado de miradas afiladas y advertencias.

El abuelo, con los ojos a media asta, fingió no escuchar. El mejicano sacó un pitillo y después de golpearlo ligeramente sobre la mesa se lo colocó en la boca. Sus gafas espejeaban la llama del encendedor. Su rostro reflejaba las peores tormentas de Tijuana.

—Ese pinche psicópata de Freud aseguraba que todo lo que hace el hombre sólo responde a dos motivos: el impulso sexual y el deseo de ser grande. Chingar y mandar, don Fausto. Y esto es lo que les ofrece este brebaje de

Mefisto, nomás, vigor y energía para seguir pensando en chamaconas. Una buena parranda, una eutanasia sexual.

Entre bocanadas de humo esbozó una sonrisa pícara. Al socaire del tono de francachela reinante, el viejo intentó meter baza.

—En mi opinión...

—Nadie necesita que opine, abuelo. Sólo tiene que transmitir que con esa pócima lo pasa cachetón —aconsejó el cetrino chicano.

—Nadie cree ya en esas idioteces. Fíjese en mí. ¿Se da cuenta? No resultará convincente. Quizá no sea la persona más adecuada.

—Vamos, don Fausto... Se me enchina el cuero sólo de pensarlo. No se inquiete, podemos platicar y resolver todas sus dudas. Mírese. Usted es un hombre inteligente, y nosotros somos una firma inteligente que ha confiado en usted. Necesitamos tipos así, tipos con principios pero con ambición. ¿Sabe usted lo que le libra de ser un pendejo rascuache? Una nimiedad. Nomás un poco de yodo en su glándula tiroides. No permita que le agarre el chango y la angurria lo eche todo a perder por unos absurdos prejuicios.

El mejicano se apretó el nudo de la corbata hasta el ahogo. Eso enrojeció su rostro y lo hizo más terrible. Su teléfono móvil interrumpió el sermón. Aunque se había aclarado la boca para contestar, pronto recuperó el tono amenazante y se alejó con el teléfono unos metros echando pestes. Se enzarzó en una conversación críptica. Una jerga de turbios negocios sobre la que destacaban los juramentos aztecas:

—¡Pinche portugués, hijo de la chingadera!

—¿Algún contratiempo, pues? —preguntó el calvo.

—Retrasos, nomás. Es el chingón de Almeida... El huevón ha estado bebiendo un veneno portugués que llaman Guerreiros y cantando fados en una taberna del Barrio Alto de Lisboa. Ahora está en las docas del puerto empericado y borracho como una cuba. ¡Escucha al pellejo!

Y le pasó el móvil al vasco, que lo atrapó con furia. A través del teléfono se escuchaba al portugués emocionado, esmerándose con un fado desgarrador: *Eu canto para nao chorar*

Fausto estaba como en estado de trance y pensaba que realmente había sido abducido por esos alienígenas. La opresora atmósfera de aquella oficina confirmaba la inexistencia de oxígeno.

—Fase dos —anunció el tipo de Neguri—. Es hora de comenzar con las pruebas de imagen. Tenga la bondad de acompañarnos, Fausto.

El viejo seguía con escalofríos, sus piernas se le habían dormido y no daban señal de que pudieran andar, sólo notaba un cosquilleo extraño por todo el cuerpo, como si acabaran de inyectarle una dosis de anestesia epidural. Se sintió solo e indefenso. Miró con cautela los dos rostros feroces que le esperaban y respiró profundamente. La mirada halógena del mejicano cortó en seco su acomodo en el subconsciente y tiró de él como si le hubiera hincado un anzuelo en el paladar. Fausto se incorporó y mantuvo a duras penas la verticalidad, estaba demasiado abatido ya como para cuestionar una orden. Caminó con sus piernas de goma como si fuera tachando el dibujo de las baldosas y entró cabizbajo por delante de los ejecutivos en otra estancia aún más iluminada, sudoroso y cansado, arrastrando el alma y conduciéndola hacia un abismo irreversible.

Una mujer oronda y dicharachera embutida en una bata blanca le maquilló y le embadurnó la cara con cremas revitalizantes, coloretes y potingues. Pancho Villa llamó por una línea interior. Un joven apareció con una cámara de vídeo y comenzó a grabar mariposeando alrededor del abuelo a la vez que se sucedían las palabras de ánimo del chicano. El chico de la cámara andaba con pasito corto y ladeado, como Robert Mitchum, como si se deslizara por el piso. Al abuelo le marearon y le hicieron ensayar cientos de veces la sonrisa que buscaban.

—Despega con Mefisto. A vida o muerte, tu última oportunidad. Repita —ordenó el mejicano, regodeándose en las palabras.

—Vamos no se lo tome a pecho, no me ponga esa cara de chingo, aquí no ha pasado nada, nadita. Sonría. ¡Así, así..!

—Ahora una expresión de pendejo. Como si su vida fuera un carnaval. Una imagen vale más que mil palabras.

—Vamos, don Fausto. Relajadito. Muestre su maravillosa dentadura postiza.

—Bien, bien. Imagine que ronda a una chamacona buenota con unos mariachis a su vera tocando *Camelia la tejana*.

—Despega con Mefisto. Así, así, sonría, piense en un tequilazo chueco.

—Genio y figura, don Fausto. Lo está haciendo de reputa madre. Le dedicarán un corrido en Ciudad Juárez. Se lo juro. Ya verá. «A vida o muerte»

El abuelo, aturdido por las mejicanadas, se contagió del entusiasmo. Regresó a sus tiempos jóvenes y pensó en uno de sus tangos favoritos:

Mi Buenos Aires querido
Cuando yo te vuelva a ver
No habrá más penas ni olvido.

—¡Así, así..! Ya le sale rete bien don Fausto. De veras. Pan comido.

AQUELLA TÓRRIDA NOCHE DE SAN JUAN CORRÍA UN airecillo cuajado y espeso. La sorprendente noticia había saltado con urgencia a todos los teletipos y se transmitía salpimentada con el morbo correspondiente por todos los medios de comunicación. El conspicuo escritor Arturo Galán, acusado de un delito de violación aunque en libertad provisional, había aparecido muerto en su casa de La Moraleja con un disparo entre ceja y ceja.

El inspector Nereida se dirigía hacia allí y sorteaba con su deportivo rojo aquel laberinto asfaltado como un circuito de coches de juguete, rodeado de mansiones y jardines privados con piscina que a esa hora ocultarían sueños apacibles, leoneras de póquer, timbas ilegales y orgías privadas. Sus ojos patrullaron por los alrededores con deformación profesional mientras sus oídos auscultaban el escabroso pálpito de la noche arrullados por el murmullo de los aspersores de riego. Flotaba un agradable aroma de lilas, buganvillas, perfumes caros y césped recién cortado. Las sombras de los árboles recortados contribuían a hacer de aquel entorno un elitista y cuché corazón de las tinieblas.

Un coche fúnebre del tamaño de una limusina, engalanado de coronas de flores, le adelantó a bastante velocidad dejando en el aire una estela de olor a hierba de las montañas del Rif y los ecos de una canción de Andrés Calamaro:

Creo que sé cómo hacer para resistir al tiempo. Y sé cómo hacer para olvidar el dolor...

El monótono timbre de alarma de las cigarras y los grillos no paraba y regalaba a la noche una nerviosa sensación de calma chicha, las chicharras en celo la iluminaban con una intermitencia espectral. La senda estaba salpicada de farolas de hierro rizado que emanaban una luz pobre y difusa, pero que atraía a los mosquitos como la miel. Éstos perecían abrasados celebrando su particular fiesta del fuego. Su noche de San Juan.

Un camión de la basura circulaba por las inmediaciones con sus luces verbeneras y su estela de inmundicia. Su paso hediondo malograba el hechizo de la luna creciente y despertaba ladridos lejanos que la negrura de la noche transformaba en aullidos.

El bulevar, vallado con tupidos arbustos, estaba demasiado oscuro como para considerar seguro un paseo por la urbanización. Alguna rendija entre la tapia de los setos de eucalipto permitía sospechar el entorno hortera que rondaba por allí y dejaba ver esas casas presuntuosas que ocultan su riqueza tras enormes puertas de hierro, vigiladas por alarmas y circuitos cerrados de televisión. El olor a dinero contaminaba el aire puro solapando el aroma de las hortensias y los tomillos de aquellos jardines tapizados de hierba que se medirían por hectáreas. Un guarda jurado hacía su ronda con la linterna silbando el infame estribillo de una pegadiza sintonía publicitaria:

Despega con Mefisto y hazte fuerte. Es tu última oportunidad. A vida o muerte

Al final del camino, en la zona más alta de la urbanización, la luz de la luna recortaba la silueta de un caserón lúgubre recargado de molduras de aluminio, focos, gárgolas, ventanas estrechas y alerones de templo budista. La altísima verja de barrotes en forma de lanza, remachada por una placa de filigrana forjada con letras ampulosas donde se leía: *Villa Victoria*, estaba abierta. Nereida aparcó el deportivo a la entrada del portón y continuó a pie. Desde allí se abría un paseo de tierra batida en el que bien podría organizarse un campeonato de tenis. El jardín estaba habitado por gnomos, querubines y efebos de estilo neoclásico y dudosa postura. Su abigarrada decoración floral y los arbustos podados a tijera denotaban la existencia de un jardinero con dedicación exclusiva. Una fuente coronada por cuatro angelitos de mármol que orinaban el agua relajaba la chicharrera reinante.

La casa era inmensa y construida al gusto gótico florido de la snob burguesía madrileña. Parecía el motel de Psicosis restaurado por Bofill. Tenía dos plantas, dos puertas y dos coches caprichosos aparcados en el garaje: Un pequeño Smart descapotable y un Jaguar carmesí.

En un recodo del camino la arena se diluía entre las losetas de piedra y una amplia escalinata de mármol gris abría una entrada abovedada con buganvillas y enredaderas. En el porche se apretujaban vecinos, curiosos y periodistas a los que no paraban de sonar las fanfarrias de sus teléfonos móviles. Las luces de la ambulancia y los coches patrulla otorgaban al tumulto el aspecto de una fiesta psicodélica al aire libre. Seguramente habría menos gente saltando la hoguera de San Juan.

Nereida llegó allí cuando la Juez de guardia levantaba el cadáver. La puerta de la mansión estaba entreabierta, vigilada por dos policías barrigudos, con aspecto cansado y edad de jubilación anticipada, que reconocieron al inspector y le saludaron marcialmente. Con tanta gente por allí, el aire se hacía casi irrespirable. Los soplagaitas de la judicial tomaban fotos de todo lo que se movía y recogían muestras y huellas dactilares. Nereida no les tenía cariño. Trabajaban como autómatas de academia, sin el nervio y el olfato homicida de los policías bregados en primera línea de fuego como él. Uno de ellos, al que llamaban «Jorobas» añadía aún más chapuza entre aquel desconcierto de guantes, bolsas de plástico, polvos negros y brochitas.

El teniente Mariano Ramírez, alias jorobas, tenía la cara congestionada, la barriga cirrótica, un pestilente aliento a brandy barato y las secuelas de un odontólogo aficionado marroquí. Las malas lenguas aseguraban que nunca tuvo ombligo. Sus facciones eran como las de un enano grande, ligeras, sin dibujar, como si hubiera nacido con cuatro meses de gestación. Contrastaban con un bigote años cuarenta, fino y recortado, como de actor de Cifesa, entreverado de grasa y nicotina. Aquel bigotillo de posguerra subrayaba su discurso anacrónico y viril, y acentuaba los *tics* fascistoides de sus groseras ocurrencias. Existen muchas acepciones de la palabra «despreciable». Él las reunía todas.

No era trigo limpio. Era un policía soez, descreído y marrullero, y con un peculiar sentido del humor que sólo hacía gracia a él. Un neanderthal con placa y pistola. Una bestia parda.

Estuvo destinado nueve años en Ceuta pasándolas putas en homicidios. En sus manos, un detenido acababa confesando no sólo el delito sino también sus propias lesiones. No, no era un tipo muy recomendable, pero los prebostes del Cuerpo consideraron que después de tres trienios en aquel lodazal, se había ganado el derecho a una pequeña degustación del pastel, le indultaron de las emociones fuertes y le asignaron un despacho en las aduanas de Algeciras. Allí se pasó de listo.

Envalentonado por el traslado, echó mano de sus mañas moriscas y tomó demasiadas decisiones por su cuenta. En la frontera, además de echar más barriga, redondeaba el sueldo decomisando cazadoras de cuero y haciendo la vista gorda con algún cargamento de hachís o con algún convoy de inmigrantes ilegales a veinte mil duros por cabeza. A pesar de los regalos en especie y de los sobres que se perdían por todos los cajones de la comisaría, aquella frecuencia en la rapiña no la autorizaban los peces gordos. Demasiados trapicheos. Le llamaron a capítulo y le apretaron las clavijas pero en vez de devolverle a África le condenaron a los corrales de la capital. De Madrid al cielo.

En la Brigada Criminal encajó como un jalapeño en un cóctel de champán. Cuando llegó a Madrid, quemado y resentido, puso todo patas arriba, pasó revista a los muchachos como los rudos sargentos en el frente de guerra y metió en cintura a los guapitos sin afeitar de la judicial. Les ordenó cortarse el pelo y quitarse aquellos pendientes de maricones. Al parecer, de allí había salido el soplo que recibieron en asuntos internos y el estigma de su apodo: Jorobas. La denuncia sobre corrupción galopante se archivó por el conducto de su recibo porque la punta de la pirámide podía acercarse demasiado al sol y quemar al más pintado, pero el mote ya no se lo quitó ni Dios.

Jorobas acababa de abandonar el tabaco y su boca leprosa era un continuo trasiego de palillos. Una excusa más para estar continuamente escupiendo. Tenía una boca más dañina que la «Star» reglamentaria que soportaba la peste de su sobaquera. Mareaba con su pestilente aliento y sus chistes de pésimo gusto. Peinado con la raya en la oreja para taparse la calva, se planchó con la mano los cuatro pelos, metió tripa y se subió la cinturilla del pantalón cuando se acercó Nereida. Llevaba una camisa con añejas roderas de sudor, de colores tan estridentes que parecía envuelto en la bandera de Mozambique. Una gruesa cadena de oro rodeaba su cuello de buey. A pesar del amago, Nereida no le estrechó la mano.

—¡Vaya choza, Inspector! Fíjese en este recibidor, es más grande que mi casa. Y el pollo iba de radical y antisistema. ¡No te jode con el ácrata! —exclamó el teniente

Ramírez acercando su pómulo aplastado al oído de Nereida. Su voz silbaba entre los pocos dientes de su boca.

—¿Qué tenemos?

—Poca cosa, Nereida. Un fiambre y un casquillo de bala percutido del 6,35 con las iniciales «S & B»

—Son las iniciales de «Sellier and Bellot» un fabricante de armas de Praga. Ese calibre es muy común en Portugal y aquí se cotiza mucho en el mercado negro. Son pistolas baratas, muy fáciles de conseguir.

—¡Si Franco levantara la cabeza...!

—¿La víctima? —indagó Nereida

—¿Se fijó en sus ojos abiertos?

—Aún no.

—Es la mirada de estupor más penetrante que he visto en mi vida. Vio a la muerte cara a cara. La guadaña era afilada y conocida.

—¿Alguna conducta sospechosa?

—Me conozco el percal. Mucho escaparate, mucho lujo, pero la mosca que revolotea detrás de la oreja me dice que al fondo podemos encontrar una trastienda muy oscura.

—¿De qué está hablando, Ramírez?

—Parece que a Arturo Galán le obsesionaba todo lo relacionado con la muerte. Debía estar pasado de rosca. Estos escritores son gente muy rara, se lo digo yo. Frecuentaba fondos subterráneos, brujería, vudú, misas negras, adoradores de Satán. Esos lugares extraños donde las funerarias obtienen demasiados clientes. Su sección de favoritos en internet no tiene desperdicio. Mire, mire...

Nereida echó una ojeada al papel, apartándose ligeramente de la dirección de su aliento lanzallamas. La extensa y variopinta lista que había seleccionado el ignorante de Ramírez incluía páginas como *Perdidos en El corazón de las tinieblas*, *La hermenéutica de La montaña mágica* o *Céline y su Viaje al fin de la noche*.

—Hay muchas entradas en la *Sociedad de espíritus negros y degenerados* ¿Qué grupo es ése, Ramírez?

—La página se las trae: Adoradores de Satanás, con su curia, su jerarquía, sus capas y sus tíos y tías en bolas. Según parece ascienden de grado en proporción directa a la perversidad de sus actos, casi como en la Benemérita —rió su gracia y añadió—. Creo que organizan orgías en la noche de San Juan. La de hoy este pollo se la ha perdido.

Ramírez sonrió maliciosamente jugando con el palillo y sacando la sucia y granulosa lengua como un lagarto, y no comprendió una ocurrencia de Nereida que mezclaba lo herético y lo erótico.

—¿Testigos?

—Lo de costumbre, ninguno

—¿Casado?

—Sí. Victoria Adorno. Despampanante. La viuda está en el salón hablando por teléfono —dijo estirando el brazo y señalando el lugar.

Un bofetón de olor a sudor rancio lo contaminó todo. Nereida se giró y miró hacia allí, más para alejarse del tufo repugnante que expelía Ramírez que para fijarse en ella. Aún así, le dio un buen repaso a su cuerpo.

—Parece muy atractiva —afirmó Nereida en un tono neutro.

—Falda estrecha y manga ancha. Tiene más curvas que el puerto de los leones —aferrado al palillo, hizo una especie de guiño—. No lo dude, en perfecto estado de conservación. Ándese con ojo, no deje que le engatuse, Nereida —cuchicheó Ramírez con la voz desgobernada, agitando su adiposidad. Su boca desdentada se hundió al sonreír.

—Déjese de coñas, Ramírez. A otra cosa: ¿Familia?

—Un hijo que estudia fuera de España. En los Estados Unidos creo. Sin relevancia para la investigación.

—¿Indicios?

—Nada. No hay señales de fuerza en la cerradura y el sistema de alarma no se activó. El robo no ha sido el móvil. El que lo hizo, ni siquiera se molestó en dejar pistas falsas.

—¿Algún sospechoso?

—Nada de nada. Habrá sido la puta a la que violó. No creo que le hiciera mucha gracia el auto de libertad de este pájaro.

—¿Algo más?

—Sí. Era vocal de la Asociación Pro Derecho a Morir Dignamente.¡Qué sarcasmo! —y soltó una carcajada corsaria, intoxicándole otra vez con su intenso olor corporal.

A Emerenciano Nereida no le hizo ninguna gracia el chiste de Ramírez, contuvo el aliento, tensó las mandíbulas y descompuso el gesto. Su mirada de francotirador, dura como un mineral, desveló una mínima parte de su desprecio y borró en seco aquella risotada. Fue como una quemadura de tercer grado. Por un instante, al teniente se le erizó el fino bigotillo y sus desdibujadas facciones parecieron cobrar relieve. Aquella tajante mirada le atragantó la risa, le coaguló la sangre y le agregó un ingrediente de miedo a su concierto de olores. Su rostro se arrugó como una almeja al limón. Cuando resucitó, frunció algo parecido a una gesto de disculpa.

El inspector se acordó de Manuela, su difunta esposa, y entonces se le humedecieron sus ojos glaucos. Recordaba la agonía de sus últimos días en aquella fría cama del Gregorio Marañón. La metástasis le estaba devorando el cuerpo poco a poco, aunque su prematuro Alzheimer le impidiera tomar conciencia de ello. Un sufrimiento que, a pesar del encarnizamiento terapéutico y la sobredosis de morfina, se hacía insoportable para todos. No era vida, y ella tenía el derecho a vivir dignamente y a morir en paz.

En sus tímpanos vibraba todavía la apagada voz de su mujer agonizante y el dedo tembloroso señalando los tubos que atravesaban su garganta. ¡Piedad! creyó escuchar Nereida de los labios de la moribunda antes de darle un beso con los ojos abiertos y desconectar el respirador.

Nunca había olvidado aquella mirada de Manuela. La tenía marcada para siempre en una grieta cerebral como una cicatriz interna. Desde entonces, bebía mucho y dormía poco. Acaso por eso su rostro envejecía más deprisa que su carné de identidad.

Tras el atentado terrorista, a Nereida le tuvieron que extirpar el bazo y parte del hígado, y los médicos le dieron dos opciones: o beber o vivir. Por el momento, estaba intentando aferrarse a la segunda opción.

Se acercó al cadáver de Galán. Los de la Brigada le estaban tirando más fotos que el día que ganó el premio Astral. No tenía tan mal aspecto. Parecía que en cualquier momento podría levantarse y sumarse al bullicio. El forense acabó pronto su tarea. No hacía falta ser médico para imaginar la causa de la muerte. Colmenero se quitó los guantes de látex y concluyó ante la juez de guardia que el escritor había muerto aproximadamente cinco o seis horas antes. Tenía un agujero negruzco en la frente. Una bala de pequeño calibre había acabado con su vida alrededor de las ochode la tarde.

—¡Dichosos los ojos! ¿Ya viene con la lupa Nereida? —bromeó el forense.

—No me toque los cojones, Colmenero, que estoy de servicio.

—Por cierto, ¿dónde compra los trajes? No veo uno así desde que Julio Iglesias cantara en eurovisión.

—¡Menos hostias! ¿Y a usted dónde le miden la pernera? ¿En Chueca?

—¡Qué humos! Como siga así voy a dejar de pensar que es usted el mejor policía de Madrid.

—Menos coba, enterrador.

—Ya veo que se cuida Nereida, pero sepa que la ley seca ha causado muchas víctimas, más que la priva.

—Por eso, tenga cuidado Colmenero. Y hablando de víctimas, ¿Suicidio? —inquirió Nereida lanzando una mirada al cadáver y amansando la voz. El forense hizo un par de chasquidos con la lengua.

—No. El orificio de entrada de la bala parece descartarlo. Me temo que éste todavía no había comprado el billete para el otro mundo. Alguien lo ha montado en el avión antes de tiempo. El disparo ha sido a bocajarro.

—¿Algo más?

—No hay orificio de salida. La bala sigue alojada en su cabeza. Le habrá rebotado como en una pista de paddle.

—¡Déjese de juegos, Colmenero!

—Se lo explicaré técnicamente y en versión abreviada, inspector: No ha muerto por exceso de colesterol, yo diría que por exceso de hierro. Tiene una herida cráneo-encefálica por disparo de arma de fuego de proyectil único. La bala es de pequeño calibre y no es mortal de necesidad salvo que se dispare a muy poca distancia. Se trata de una muerte violenta de etiología claramente homicida. No hay orificio de salida y no se encuentran en el cadáver signos de lucha o defensa. Le mataron a quemarropa. ¿Algo más?

—¿La data de la muerte?

—Ocho o nueve de la noche. Ah, Nereida, permítame un consejo facultativo...

—¿Cuál?

—Vuelva a beber.

A pesar de sus trienios como policía bregado en muchas cloacas, la mirada de un cadáver siempre le sobrecogía. Nereida se quedó pensativo ante aquel cuerpo que se corrompía, aquella extraña mezcla de gloria y excrementos que pronto serían ceniza volando por el viento, negro polvo de carbón, polvo enamorado. Ahí yacía el cuerpo de Galán, con su vista cansada, su soledad y sus empastes, sus urgencias, sus palabras y sus debilidades. Ya sin tiempo para ordenar los papeles de su mesa, para pagar sus deudas ni para recuperar asignaturas pendientes. Sin tiempo ya para leer o releer los libros aparcados en la doble fila de su biblioteca.

Ayer una celebridad, hoy un cadáver y mañana sólo una pequeña esquela. *Sic Transit Gloria Mundi*

El reloj de oro seguía rodeando su muñeca y en el bolsillo interior de su chaqueta de lino aún conservaba su cartera repleta de euros. Era evidente que el asesino no había ido allí a robar. El móvil era más poderoso. Había despreciado los valiosos objetos que atesoraba la casa e incluso la jugosa propina que le podía haber proporcionado la cartera. Ni siquiera se había molestado en simularlo.

Sus muchos años de oficio le habían ratificado que no existe el crimen perfecto, que siempre se comete una equivocación y alguien involuntariamente deja una pequeña pista que conduce al ojo del huracán de la condición humana. Nereida sólo tenía que encontrar esa pista en algún lugar de la ciudad.

El levantamiento del cadáver estaba siendo catastrófico. Allí había demasiada gente, un bullicio de tanatorio inapropiado para comenzar una buena investigación. Los tipos de la funeraria circulaban como autistas con unos auriculares adosados al tímpano. Se pasaban un deforme cigarrillo, curioseaban por la casa y tocaban todos los cuadros y objetos con los que se tropezaban. Ramírez iba a encontrar allí más huellas dactilares que en la piel de las putas baratas que frecuentaba.

Todo era pompa y circunstancia. El vestíbulo era amplio, repleto ahora de ostentosas coronas de flores y epitafios con demasiados versos. Desde allí se podía ver a una mujer de edad imprecisa hablando por teléfono. Daba la espalda a un cuadro de Botero que acentuaba su ligereza.

El inspector le echó una mirada lenta y escrutadora y estudió con calma sus gestos. Cruzaba y descruzaba nerviosa las piernas, arrugaba la nariz, moqueaba ruidosamente y hacía algún que otro puchero. Parecía abatida, o más bien, lo fingía. Sus lágrimas de compromiso no eran capaces de arruinar su maquillaje ni correr el rímel hacia los pómulos. Cuando colgó, una bullanguera procesión de famosas plañideras se acercó a darle el pésame.

Era la viuda, aunque no parecía del todo desconsolada. Mantenía un rictus compungido poco creíble y una postura demasiado relajada para la ocasión. Sus manos refulgían enlazadas sobre el muslo, con ese estilo que tienen las mujeres que nacen con clase. No se apreciaba la alianza de boda entre tantos anillos y en sus muñecas cargadas de pulseras doradas brillaba un reloj que seguramente atrasaba el tiempo. Aparentaba menos edad de la que seguramente certificaba su partida de nacimiento.

Nereida aplastó el habano recién encendido sobre un cuenco de cerámica que se hallaba en el aparador de la entrada, al lado de un montón de telegramas de pésame. Supuso que se trataba de un cenicero pero en realidad lo apagó sobre un exclusivo tazón esmaltado por De Kooning. El aire estaba tan viciado allí que el Montecristo no tiraba.

La casa había acumulado el calor de aquel día de puertas abiertas y el aire acondicionado no lograba dominar la temperatura.

Pese a que Nereida ya no bebía y su testosterona parecía haberse evaporado con el alcohol, todavía sabía apreciar la belleza femenina aunque fuera tan artificial como aquélla. La miró sin ninguna prisa. La viuda tenía el cabello de un rubio nórdico, aunque tampoco aparentaba que ése fuera su color natural. Traía la mirada gélida y perdida de las rubias de Hitchcock y un vestido rojo muy ceñido y escotado que oprimía todas sus curvas, que eran muchas. No parecía muy adecuado para un día de duelo.

El cadáver de Arturo Galán estaba a sus pies, tendido en el suelo boca arriba, con una expresión entre retadora y sorprendida. Amoratado y con aquel agujero entre ceja y ceja parecía la reencarnación de Visnú.

La viuda se acercó cimbreando su cuerpo esbelto y prefabricado, correspondió al pésame protocolario y saludó al inspector extendiendo su mano desganada. Antes de que los rastas de «La Dolorosa» hubiesen cerrado la cremallera de aquel tétrico saco de dormir de color metalizado, Victoria contempló por última vez el cadáver de su marido con una mirada vacía de expresión.

—¿Usted cree en el más allá? Preguntó a bocajarro a Nereida

—Francamente, no.

—Yo tampoco —afirmó tiñendo la voz de un tono malicioso y con una mueca de ironía que la cirugía plástica no supo definir.

Sus gestos eran demasiado simétricos, demasiado pronunciados y cosméticos. Hablaba también en un tono raro, engolado, se diría que pronunciaba las palabras con acento circunflejo, con una dureza matizada por la sensualidad de sus labios carnosos y el hoyuelo gracioso de la barbilla. Al moverse, un halo de fragancia sofisticada, casi palpable, perfumó toda la estancia, solapando el tufo nauseabundo que, como consecuencia del bochorno, ya comenzaba a exhalar el cadáver.

Aunque sus ardores hacía tiempo que sólo eran de estómago, Nereida seguía el rastro de sus tacones altos como un sabueso en celo. Su mirada no podía evitar perderse entre el movimiento de sus cincelados glúteos. Ella caminaba lenta y voluptuosa, con una cadencia tan sofisticada que parecía levitar. A pesar del ambiente de duelo, la fuerza expansiva del taconeo atrajo los oídos y las miradas lujuriosas de los presentes.

—¿Doña Victoria?

—Vicky, por favor.

—No sé si hoy es buen momento para hacerle unas preguntas...

La viuda le perforó con sus ojos verdes. Su mirada profunda como la esmeralda, con una ligera secuela de estrabismo oriental, se mostró de una elocuencia insultante. Sólo podía interpretarse de una manera. Le estaba mandando al diablo.

Antes de abandonar el escenario del crimen, Nereida recuperó el Montecristo del valioso esmalte de colorines, ahora ya saturado por imitación de colillas y quemaduras. En la puerta se cruzó con los chicos de la funeraria que canturreaban *Under my thumb* de los Stones y bamboleaban de un lado a otro el ataúd del finado. A duras penas consiguieron introducirlo en el coche fúnebre.

Nereida dañaba todos los días sus niveles de colesterol en una churrería cercana a la Plaza Mayor llamada «La Pucelana» No era como desayunar en Tiffany,s, pero, aunque el café era aguachirle, allí se hacían los mejores churros de Madrid. Café con churros y, de un tiempo a esta parte, vasito de agua mineral y cápsula de ulceral en sustitución de la otrora acostumbrada y reconstituyente copita de sol y sombra. Ése era todo su alimento matutino.

Aquella mañana optó por una fórmula híbrida y pidió un carajillo de coñac. Sólo unas gotas, le advirtió a la camarera, sumida siempre en la modorra de la anestésica neblina de la fritanga y el madrugón propio de la actividad.

El inspector no iba allí sólo porque estuviera a dos pasos de la Comisaría o le gustaran los churros. La pucelana era además una especie de bruja vocinglera que echaba la buenaventura y pronosticaba su destino diario en los posos del café. Después del examen de los restos de aquel alquímico brebaje, Nereida la miró y, por el mate de su pupila, comprendió que de buena su ventura no tenía nada y que aquel día era mejor que no le desvelará el porvenir. Entonces pidió un descafeinado.

Había concertado una cita profesional con la viuda de Galán y, aunque odiaba el protocolo y la etiqueta, eligió su mejor traje y la corbata azul celeste de Loewe que le regalaron los compañeros del Cuerpo Superior de Policía cuando cumplió las bodas de plata en el servicio. Una corbata escogida, a pesar del bochorno, pensando en los ojos de Victoria, que sólo se ponía el catorce de abril para celebrar el día de la República.

No había dejado de pensar en ella. Algo le atraía profundamente de la viuda del escritor. Quizá fuera aquel desparpajo de belleza tan explícita.

A pesar de que el médico de la Mutua siempre le había prevenido, agitando su índice anaranjado, de los gravísimos peligros del tabaco, Nereida encendió con parsimonia uno de sus Montecristos. Absorbió el humo y lo retuvo en sus pulmones hasta que se sintió inundado de nicotina. Lo exhaló intentando puerilmente armar anillos en el aire, las volutas de humo se disolvían en espiral como si buscaran la ruta de sus confusos pensamientos hasta extinguirse en la nada. Parecía querer detener el tiempo. Aunque la bulla reinante en la churrería era considerable, procuró abstraerse de ella y concentrarse en el análisis de las extrañas circunstancias del asesinato.

No era un policía al uso. Emerenciano Nereida era un inspector escéptico que desconfiaba de la justicia. Él no aspiraba a tanto, en realidad lo que llevaba persiguiendo todos estos años era algo parecido a la verdad. Una constante búsqueda que le había procurado muchos desengaños en la vida. La culpa la tenía su rebeldía congénita, un nihilismo preñado por la represión de su postguerra zamorana. Siempre le habían atraído los negros nubarrones en las capas altas de la atmósfera social. Estaba acostumbrado a homicidios chapuceros y a vulgares crímenes pasionales, toscos ajustes de cuenta entre rusos o colombianos y psicópatas cutres y periféricos. Con el caso del famoso escritor de best-sellers recuperaba el entusiasmo profesional. Los crímenes de alto standing y cuello blanco siempre le inflamaban su vena policial más vengativa. A decir verdad, Nereida era muy clasista, por eso se metía siempre donde no le llamaban. No soportaba a los millonarios aburridos, el abolengo ocioso, ni a la alta sociedad.

El crimen, a simple vista, no parecía difícil de resolver. No existían signos de violencia ni las puertas de entrada habían sido forzadas, por lo que, a ojo de cubero tuerto, el asesinato lo habría cometido alguien muy cercano al escritor, alguien de su entorno a quien, indudablemente, el día de autos le había facilitado la entrada.

Todavía no tenía ninguna certeza de lo que allí había ocurrido aquella calurosa noche de San Juan, pero aquel rompecabezas no tenía demasiadas piezas. Por el momento, sólo había dos sospechosas de manual de primer curso de Criminología. A Galán podía haberlo matado su apenada esposa, despechada por el escándalo de la violación y, posiblemente, beneficiaria de su seguro de vida, o la prostituta ultrajada que, afectada por el infierno padecido e indignada por la libertad de su verdugo y sedienta de venganza, podría haberse tomado la justicia por su mano. La ley del talión.

Nereida, excitado por esas cavilaciones, observaba las tentadoras botellas de licor en los anaqueles oleaginosos de la churrería. El sudor frío de la abstinencia recorrió su cuerpo haciendo aflorar por sus poros los viejos fantasmas. Pensó en todos sus esfuerzos y privaciones, en lo efímero de la existencia, en el sentido de la vida. Y de la muerte.

Recorrió el local con la mirada y se fijó con atención en los clientes. En una mesa de jugadores de cartas se discutía acaloradamente de fútbol, y en la barra, una mujer joven leía la prensa, mojaba las porras en el café y veía la televisión a la vez. Se detuvo un instante en la portada del diario. Los periódicos seguían sacando mucho partido al culebrón de Arturo Galán.

En el altar de la churrería, el sagrado sanedrín siempre encendido. Oráculo omnipresente, emisor de churros catódicos, de radiaciones de amnesia y olvido. Al escéptico Nereida le angustiaba aquel artefacto de *panem et circenses* casi tanto como sus pesimistas conclusiones filosóficas. Le parecía imposible reciclar tanta basura. A veces se permitía ver alguno de aquellos programas de máxima audiencia sólo por puro masoquismo ideológico. Luego se arrepentía, le hacían sentirse como un bicho raro. Sólo era fiel espectador de alguna película de la época dorada de Hollywood que reponían de madrugada y, a veces, se dejaba atontar por la publicidad, único espacio donde, según él, subsistía aún una brizna de creatividad.

El año anterior, un desafortunado nombramiento le colocó al frente de la Jefatura de Información de la Policía, así que conocía de sobra el mecanismo de la manipulación informativa y la técnica de las versiones oficiales. Además, odiaba la banderita y el hilo de oro de las estrellas cosidas en la hombrera. Aquel desaguisado resistió un trimestre y un saco de desmentidos del Director General. Nereida no era precisamente un policía ingenuo. Era consciente de que toda autoridad se basa en el engaño, que el límite que separa la verdad de la mentira sólo lo establece el poder, y tenía asumido que en los telediarios la noticia más fiable era la hora. *Una pausa para la publici-*

dad y volvemos enseguida. Aún así aceptó aquel sacrificado y efímero encargo informativo con empeño quijotesco. Una quimera.

Inopinadamente, el sonido del televisor se elevó a un volumen que hubiera despertado a un sordo, eso le apartó de sus deducciones criminales y de sus elevados pensamientos. Entonces comenzó una interminable tanda de anuncios.

Un estruendo de fuegos de artificio festejaba los vigorosos consejos de Pelé. Al parecer un brebaje llamado guaraná le devolvía al mundial de Méjico y le dotaba de un brío a prueba de gatillazos.

Acodado en la barra, Nereida seguía aplicado en su desayuno, mojando en la taza los pringosos y azucarados churros, ajeno a los consejos publicitarios sobre alimentos saludables enriquecidos con un montón de vitaminas que recorrían todo el abecedario, alfa uno y omega tres, ginseng, jalea real o bífidus activo. Siguió toda una secuencia monotemática de yogures desnatados, pan integral, bolsas de cereales transgénicos, embutidos desgrasados, bricks de biofrutas saturados de minerales, bebidas light de múltiples sabores, barritas energéticas, helados sin calorías, cerveza sin alcohol y café descafeinado.

A la espera de que la joven de la barra dejase de cruzar las piernas sobre el taburete y le cediera la prensa, un nuevo golpe de efecto atrajo su mirada hacia el televisor. Una sugerente voz femenina anunciaba un poderoso extracto de algas con proteínas de trigo, retinol, vitaminas E y B5, colágeno interactivo y fitoestimulinas de tomate. La mujer se aplicaba innecesariamente Powerful skin bajo los ojos y aseguraba que el prodigioso ungüento se fundía en su piel, ocultaba todas las imperfecciones cutáneas, eliminaba las arrugas y retrasaba el envejecimiento. Unas notas al piano de Nyman acompañaron sus palabras melosas cuando anunciaban el nacimiento de una piel nueva, más sana y juvenil. Renovada. Nereida pensó que un día no muy lejano patentarían el secreto de belleza de la condesa húngara Elizabeth Bathony que, aficionada al baño de sangre humana como Cleopatra al de leche de burra, colocaba sobre la bañera una jaula colgante erizada de pinchos en la que encerraba a varias adolescentes. Eso le permitía disfrutar de una fresca y saludable ducha sangrienta.

La sucesión de fogonazos publicitarios era incesante. El sonido se elevaba cada vez más como si aquello fuera una subasta de decibelios y provocaba que la crispada mente del inspector imaginara tratamientos más agresivos que el de la condesa Bathony.

Una pareja talludita jugueteaba en un jardín artificial. El entorno era bucólico y pastoril, y el júbilo que allí se respiraba parecía más propio de retrasados mentales, columpio incluido. Adiós al estrés con las pastillas del Dr. Foster, elaboradas con un concentrado de té verde, citrus, cebada e hinojo. Una de aquellas inocentes cápsulas cada día, reducía el exceso de grasa, drenaba los líquidos retenidos, eliminaba las toxinas, mejoraba el estado de ánimo y aliviaba el cansancio y los dolores de cabeza. Nereida hubiera necesitado en aquel momento media docena.

Pensó que aquella parafernalia publicitaria no era más que otro de los estériles esfuerzos de la humanidad por prolongar la existencia. El nuevo credo. La publicidad había sustituido a la religión y recuperaba su origen. El culto y la sublimación de la inmortalidad bajo la mirada atenta de la nueva deidad: el mercado

Una melodía que se asemejaba al Vals Mefisto de Liszt pero con estridentes arreglos metálicos irrumpió en el bar provocando que Nereida se sobresaltara y derramará el resto de la taza de café. Se manchó la corbata de Loewe. Frotar con una servilleta mojada empeoró el resultado y tiñó con un nubarrón pardo el exclusivo diseño.

Dos rubias neumáticas se contorsionaban semidesnudas entre vapores, al ritmo de una especie de tecno-vals. Tras una pequeña explosión y unos burdos relámpagos, un animoso abuelo irrumpió en escena con indumentaria de camarero. Las chicas se abalanzaron sobre él en una actitud libidinosa demasiado teatral. El viejo no parecía sorprendido.

El anuncio era realmente de bajo presupuesto, de los peores que Nereida recordaba haber visto. El decorado era de vodevil titiritero y el maquillaje, de brocha gorda y ópera bufa, dañaba el contraste de la pantalla. Resultaba evidente que se les había ido la mano en el casting.

Con el viejo abusaron de la harina y el colorete, sus facciones eran un híbrido del presentador de Cabaret y del listo de los hermanos Tonetti con bigote de opereta, las rubias que le bailaban el agua parecían reclutadas en un cambio de turno de la Casa de Campo, y la puesta en escena era patética.

Entre una espesa niebla, el viejo sostenía férreamente, como si en ello le fuera la vida, un bote de esas bebidas energéticas que prometen la felicidad inmediata. La lata era negra y esbelta, y contrastaba con las poderosas letras góticas impresas en rojo: Mefisto.

En un primerísimo plano de la lata se apreciaba la figura de un diablo parecido al del anís del mono que emergía de entre las llamas blandiendo un tridente. La música se ocupaba de calentar el ambiente y aderezaba el milagroso brebaje con los inquietantes susurros del *Je t'aime, moi non plus*. El abuelo, eufórico, se limitaba a decir varias veces con un ligero acento argentino: «Despega con Mefisto». Las chicas, transidas por la emoción, retorcían con aparatoso entusiasmo sus cuerpos y simulaban un orgasmo coreográfico, gimiendo, jadeando y frotando sus tangas de leopardo contra él.

El final del anuncio era lo peor. Ciertamente, la productora del spot no se había gastado mucho dinero en película ni se habían hecho muchas tomas del engendro. Se percibía con claridad la sombra del micrófono de jirafa y la voz de un regidor con marcado acento mejicano exigiendo más entusiasmo a las chicas. El coro de un improcedente tedéum gregoriano se elevó sobre los entrecortados jadeos de Jane Birkin y el viejo concluyó: «Despega con Mefisto y hazte fuerte. Es tu última oportunidad. A vida o muerte». El coro retomaba el pareado y hacía de él un interminable estribillo.

A Nereida el anuncio le pareció espantoso, en la acepción más cutre de la palabra. Pensó que aquella zafiedad tenía que ser forzosamente deliberada, era tal el desatino que debía existir algún ignoto mensaje que él no acertaba a descubrir. Seguramente fuera el producto de la turbia mente de un avispado publicista que quisiera emular el tono más chusco del estilo Almodóvar.

Un calor repentino entre los dedos le anunció que el lazo que lo encadenaba a esas meditaciones se quemaba. Aplastó el puro en el cenicero e intentó limpiarse de nuevo la corbata con el sifón y la servilleta. Aquello agravó las secuelas del accidente. Sólo consiguió extender la mancha, tiñendo con un difuminado lamparón ocre el matiz celeste de Loewe. Ahora la ancha corbata más parecía un babero y le daba un toque más desenfadado.

Pensó que toda aquella engañosa imaginería publicitaria, en realidad, trataba de vender lo mismo: El Santo Grial, la Piedra Filosofal, el Fruto de Gilgamesh, el Paraíso perdido y la Fuente de la eterna juventud. La quimera de siempre: El eterno retorno y la inmortalidad. Era como si se acercara el fin del mundo. Esas reflexiones le hicieron recordar una novela leída en su juventud: *Los viajes de Gulliver*. En concreto el viaje a Luggnag, cuyo rey obligaba a las visitas a lamer el suelo, y en cuya comunidad vegetaba la triste casta aristocrática de los struldbrugs, unos seres infelices estigmatizados en la frente y condenados precisamente a no morir. Como al malhumorado Swift, la inmortalidad tampoco le pareció buena idea.

Nereida terminó su desayuno con el insípido regusto del agua, acidez estomacal y una extraña sensación de rebeldía. Angustiado por su destino biológico, tuvo un segundo de flaqueza y pidió una copa de orujo y un poco de bicarbonato.

La perpetua publicidad era ahora bruscamente interrumpida por un avance informativo. La noticia alertaba sobre las catastróficas consecuencias de un virus informático bautizado con el nombre de Castorp, un virus capaz de introducirse en las tripas de todos los sistemas informáticos por sofisticados que fueran y alterarlos completamente. Una tempestad cibernética sin precedentes provocada por un desconocido pirata virtual que embotaba el disco duro, alteraba sus instrucciones, destruía los archivos, borraba ficheros e impedía almacenar cualquier dato. El virus se infiltraba a través de los e-mails utilizando la técnica del caballo de Troya y, una vez dentro del sistema, el troyano desplegaba su efecto mortífero propagándose como un gusano. La infección, entre otras averías, había ralentizado y desbaratado múltiples transmisiones, y había impedido transacciones y otros pingües negocios bancarios. En setenta y dos horas de ataque había ocasionado un catastrófico descenso en la productividad de las empresas, y había elevado los índices bursátiles y los costes del mantenimiento informático hasta hacer tambalear muchas cuentas de resultados. Entre los expertos se manejaba la hipótesis de que el *Cracker* era uno de los recientes prejubilados humillados por Microsoft. Los antivirus probados hasta la fecha no lograban acabar con él y las autoridades habían decretado el estado de alerta en Bancos, Sistemas de Comunicaciones y Orden Público.

Un miedo vago y desconocido se adueñaba del mundo. La desorientación previa al caos. Un desconocido y lejano ciberterrorista con un poder abstracto e intangible dañaba las vísceras de nuestra civilización. Un nuevo flautista de Hammelin preñaba de mierda las tripas de los ordenadores y repartía la pestilencia por todo el ciberespacio. Tan sencillo como hacer *click* con el ratón. La peste.

Ahora ya no eran aquellas ratas agonizantes que surgían de los pozos, invadían las calles y emponzoñaban la ciudad de Orán. Eran millones de ratones. *Click, click, click*. El contagioso bacilo circulaba por los chips y las redes telefónicas de todo el mundo a un ritmo endiablado y destruía nuestro destino y nuestro pasado. El mundo civilizado y telemático. El mundo feliz.

Nereida sostuvo la copa de orujo un instante y observó ensimismado el fondo del cáliz como buscando respuestas, pero en ese pozo, como siempre, sólo encontraba preguntas. Su deteriorado instinto de conservación hizo que la abandonara sobre el mostrador después de mojar los labios. Únicamente tomó un sorbito.

Por razones profesionales, Nereida ya conocía las exclusivas calles de La Moraleja, pero a la luz del día le parecieron más inocentes.

La viuda le recibió con cierta desgana. Evitó las repetidas palabras de condolencia del inspector y le condujo al salón. Caminaba con decisión, segura de sí misma, acentuando con descaro el movimiento de sus caderas con la cadencia justa para poner nervioso a cualquier hombre. Se sabía atractiva y apetecible, con la soberbia belleza de la mujer madura que ha sorteado los peligros menopáusicos y ha rasgado con la ayuda de un bisturí unas cuantas hojas del calendario.

Al inspector le pareció que aquella casa de techos tan altos transpiraba soledad. Sin necesidad de leer las novelas de Raymond Chandler, advertía perfectamente aquella sensación de incomunicación, aquella vulnerabilidad de los millonarios ociosos, la deprimente decadencia que siempre latía en esos lujosos infiernos tan acogedores.

Observó con detalle e hizo un inventario de aquella valiosísima colección de objetos inservibles y del estudiado caos minimalista en el que estaban ubicados. El salón tenía una chimenea de piedra y estaba iluminado por un gran ventanal que permitía ver una piscina de formas irregulares que refulgía con los rayos del sol, un porche en el que se había instalado un comedor de verano con muebles de madera tropical y un mirador desde el que contemplar una buena parte de la lujosa urbanización. Se podía ver perfectamente el recorrido del campo de golf, los matorrales y el lago que dificultaba su handicap, podía incluso percibir las voces y el trasiego de los caddies porteando los palos de los ricachones por aquellas alfombras de hierba.

La casa evidenciaba que allí había buen gusto y mucho dinero. Tenía ese algo que podría resumirse como *glamour*. Todos los objetos tenían los matices exactos y parecían colocados en el desorden justo por un personalísimo decorador que habría pasado la factura de su año sabático en la isla de Mikonos. Máscaras africanas, exvotos indios y cráneos coloreados con flores compartían espacio con los muebles adquiridos en una exclusiva tienda de Manhattan. Todo elegante y tétrico a la vez.

En un rincón bien iluminado de la sala brillaba el teclado de un piano de cola. Las paredes, forradas de cuadros firmados por pintores cotizados, hacían suponer que los editores no engañaban tanto con las cifras de ventas. De un rápido vistazo recorrió aquella pinacoteca privada y reconoció las firmas de Paul Klee, Juan Gris y Esteban Vicente. Allí se respiraba lujo y elegancia. La voz celestial de María Callas cantando el *Casta Diva* de *Norma* envolvía de sofisticación todo el ambiente.

Dejaron el salón y pasaron al silencio de la biblioteca de Babel. Entre arrebatos lectores, regalos editoriales y adquisiciones de compromiso, Arturo Galán había acumulado muchos kilos de papel. Aquellos anaqueles soportaban el peso de cientos de libros. Ella se interpuso delante de los autores que comenzaban por la letra erre y, para romper el hielo, reveló al policía las intimidades de autores conocidos que circulaban entre la grey con el tono engolado propio de su esmerada educación y de sus amistades de la calle Serrano. Mediría aproximadamente uno sesenta pero su presencia se agigantaba en las distancias cortas. Esas en las que Nereida siempre se la jugaba, y perdía.

—Póngase cómodo, inspector.

—Me temo que tenemos distintos conceptos de la comodidad, doña Victoria —afirmó Nereida, paseando su vista por allí.

—Quizá no tan distintos. Y llámeme Vicky, por favor.

—Siento lo de su esposo.

—Gracias.

Nereida, fiel a su estilo, no se anduvo con rodeos y fue al grano. Los años cumplidos y el escepticismo innato le habían privado ya de la más mínima diplomacia.

—No parece muy afligida...

—Cuando una llega a cierta edad se acostumbra a enterrar a muchos seres queridos.

—¿Puedo preguntarle dónde estuvo ayer?

—¿Me va a leer mis derechos? Intentó exteriorizar el enfado, pero la tensión de su rostro no se lo permitió.

—Ahora no. Sólo es un cambio de impresiones, pero si no encontramos un lugar lógico donde pasar una calurosa noche de San Juan, es probable que la juez quiera hacerle la misma pregunta en presencia de un abogado.

Ella frunció el ceño, quién sabe si para que sus miopes ojos escrutaran mejor el gesto del inspector o, sencillamente, para mostrar su irritación.

—Estuve con mi confesor.

—Ayer no me pareció usted creyente.

—Nunca es tarde. Consuelo espiritual o experiencia religiosa, como prefiera inspector. La fe sólo sirve para morir en paz y yo espero retrasar ese momento, mientras tanto, disfruto de la vida. *Carpe Diem*. La virtud empobrece el espíritu y el sexo rejuvenece.

—¿Eso le dice su confesor?

—No. Él sólo me absuelve de mis culpas, cuatro pecadillos de nada —contestó en un tono malicioso.

La ironía no se la habían extirpado en aquel quirófano de la Corporación Dermoestética.

—Cuando una se acostumbra a confesar de rodillas sus pecados se aficiona al género del relato erótico litúrgico. Y a veces, se desata la tentación de pasar de las palabras a los hechos.

—Pinta el confesionario como si fuera la cabina de un sex-shop.

—Ahora que lo dice, no parece mala la comparación.

—¿El nombre de su director espiritual?

—Me ofende. Una dama como yo no debe caer tan bajo. No deseo comprometer a nadie.

—No sé si se ha dado cuenta, pero ayer alguien mató a su marido.

—Verá, en mi posición, interesaría que este caso se tratase con la máxima discreción posible. No deseo que se vean mezclados nombres respetables en este enojoso asunto.

—¿Enojoso asunto?

—Puede que yo tenga malas costumbres, pero no maté a mi marido. Eso le debe quedar claro.

—Pongamos que la creo. Sigamos: ¿Echa en falta algún objeto, algún documento, algo...?

—No. Todo está intacto. Bueno, se han llevado algunos manuscritos sueltos y unas bolas chinas con las que jugaba en su despacho. No es que fuera muy supersticioso pero su tacto le tranquilizaba. Ya sabe como son esos cuentos chinos sobre la relajación y la paz espiritual —observó con cierto desprecio.

—¿Tenían algún valor sentimental?

—Se las regaló Marcela Sumalavia, su agente literaria, poco antes de ganar el premio Astral. Eran como un amuleto. Un talismán que le daba suerte, decía. —y añadió, bajando la voz y midiendo las pausas—. Esa mujer está un poco chiflada... Cree en esas zarandajas del karma y la reencarnación...

A pesar de los objetos de valor que atesoraba la estancia, Vicky era la única presencia a la que merecía prestar atención. No parecía de este mundo. Era tan misteriosa que su aspecto parecía más obra de la taxidermia que de la cirugía, aquella frialdad, aquella inaccesibilidad le confería un hermético atractivo. Llevaba un vestido negro de seda con encaje que la claridad hacía casi transparente. El vaporoso vestido se deslizaba por su cuerpo y se ladeaba al menor movimiento dejando un hombro desnudo y casi al descubierto un delfín tatuado en su seno izquierdo y la cicatriz por donde irrumpiera la silicona. Nereida dejaba caer allí su mirada de vez en cuando, y la viuda, amortizando la factura del cirujano, nunca hacía intención de corregir el escote con su mano. El inspector, azorado, procuraba desviar sus ojos de allí, pero el magnetismo de su presencia era superior a su control y le erizaba algo más que la piel. Intuía cada curva de su cuerpo y el contraste de aquellos pechos grandes con las costillas a flor de piel.

Le aturdía su perfume. Esa mujer desprendía un envolvente aroma, una fragancia demasiado conocida. Le evocaba la penumbra golfa y viscosa del Templo de Venus, el antro donde Nereida ahogaba sus penas. Tresor, le susurraba Nadia, arrastrando las erres y los besos. Aquél era un amor imposible. Todos lo son.

Un perro esmirriado de pelo negro corto y brillante apareció por allí y se aposentó con evidente entusiasmo en el regazo de su ama. Era una especie de Dóberman enano. Alzó el cuello en un ángulo forzado, miró al inspector con agresividad y emitió un gruñido sostenido y hostil, poco acorde con la exquisitez de aquel ambiente. Su cabeza tenía la fisonomía del dios de las necrópolis egipcias, el protector de las momias, y su hocico afilado dibujaba un rictus misterioso y maligno. Su dueña dejó de prodigarle carantoñas y le ordenó silencio. Aquel *chisss* en sus plastificados labios sonó como un silbido de serpiente venenosa. El animal se largó de allí estirando la diminuta cola y, antes de olisquear el pantalón del inspector, amagó un mordisco.

—Estos perros canijos tienen muy malas pulgas —observó Nereida enfrentándole los ojos.

—A Anubis no le gustan los extraños, se pone celoso —justificó ella, sacudiéndose la pelusilla del vestido.

—Luego dicen que el perro es el mejor amigo del hombre.

—Y de la mujer —añadió la viuda con una entonación equívoca.

Nereida estaba de vuelta de todo, pero demudó ligeramente el rostro. Victoria, obviando su propio comentario, extendió las manos sobre sus estilizadas piernas y repasó sus largas y cuidadas uñas con coquetería.

—Hágase cargo, el pobre está muy nervioso. Seguramente sea el único testigo del crimen.

—Le tomaré declaración —afirmó con sorna el policía.

—No se burle. Ha podido comprobar su genio. Estoy segura de que ayer intentó defender a su amo.

—¿Qué me dice de las visitas de su esposo a las páginas sobre ritos diabólicos y sectas satánicas en internet? Inquirió, cambiando de tercio.

—Eso no significa nada. No pierda el tiempo por ahí. Estaba buscando documentación para su próxima novela. Pero el hombre propone y Dios dispone.

—¿Arturo Galán tenía seguro de vida?

—Sí. Tenía una póliza con Mapfre, pero yo no era la beneficiaria.

—¿Quién lo era?

—No lo sé. Sólo me aseguró eso.

—¿Su hijo?

—Tampoco. Arturo nunca pensó que de verdad lo fuera.

—¿Otorgó testamento?

—Creo que sí. Pero no conozco su contenido.

—No había mucha confianza entre ustedes...

—Éramos un matrimonio moderno y liberal. Sabe de sobra lo que quiero decir —dijo con una mueca entre irónica y desencantada.

—Comprendo. —afirmó Nereida mintiendo. Nunca había comprendido aquellos vicios de burguesía decadente. Esa tentadora inmoralidad de la gente con bula.

—No se extrañe, inspector. Lo nuestro fue una especie de seguro a todo riesgo, una unión de conveniencia. Él puso el talento y yo el dinero. La luna de miel se eclipsó inmediatamente y el matrimonio se convirtió en una cordial sociedad limitada.

—El amor es ciego. ¿Y lo del hijo?

—Un accidente. Pasa hasta en las mejores familias... —y los ojos se le achinaron aún más al decirlo.

—Ya.

—A él no le meta en esto. Nunca ha convivido mucho con nosotros y no sabe de nuestra vida de la misa la mitad. Siempre ha estado en caros internados extranjeros. Ahora está en Nueva York, en la Universidad de Cornell, estudiando un master de literatura inglesa.

—¿Vendrá al funeral?

—Sí, aunque para serle sincera, no le tenía mucho afecto a su padre. Le hablaré con toda franqueza. Yo entonces era una de esas chicas de buena familia, consentida y rebelde. La frondosidad de mi árbol genealógico ocultaba la jungla de esa vida que yo ansiaba conocer. Harta de que me concertasen relaciones, de rutinas y desengaños, me dio por los homosexuales. Ya ve, como buena niña mimada tenía que poner a prueba mi rebeldía y fastidiar un poquito a papá. Fue el primer desafío que encontré a mano, como exhibir un trofeo. El amor propio me nubló y me hizo creer que una mujer como yo podría apartar a Arturo de su inclinación homosexual. Fue inútil.

—¿Y entonces, se echó al monte?

—Pronto me cansó tanta ortopedia. El látex es mucho más frío que la carne. Se lo aseguro —y se le escapó una sonrisa llena de ironía.

La viuda hablaba de forma especial. Todo lo decía con afectación, alargando las vocales y pronunciando las eses con amaneramiento. Aún así, su presencia teñía de humedad y tibieza el ambiente. Y Nereida empezaba a mostrar cierto nerviosismo.

—No me mire así. No se sorprenda inspector, el mundo está lleno de hombres indecisos y de mujeres infieles —aseguró con flema de niña bien, y susurró—. Hágase cargo, no teníamos muchas afinidades.

—No crea, el interés une mucho.

—Bueno, algo sí teníamos en común: a los dos nos gustaban terriblemente los hombres.

—¿Frecuentaba Galán ambientes homosexuales?

—Todos. Desde los más sibaritas a los más sórdidos. Padecía esa inclinación de los artistas a sumirse en los infiernos. En esos despendoles desperdiciaba muchas energías. La promiscuidad les pierde.

—¿Alguien despechado en la acera de enfrente?

—No, no creo que haya sido un crimen pasional. Arturo no era Versace.

—Supongo que conocía su «otra» vida social, la actividad literaria...

—Pocas y malas amistades, demasiados conocidos. Vivía rodeado de aduladores. Es raro hacer amigos en ese ambiente. Se detestan entre ellos. Son todos unos hijos de puta, hablando pronto y mal. ¿Quiere tomar algo, inspector?

Nereida estuvo a punto de pedir Mefisto esa bebida milagrosa que anunciaban en televisión, y vender su alma al diablo por aquella Margarita. Hizo un amago de denegar la invitación pero rectificó.

—Últimamente sólo agua, alcohol cuando algo me impresiona.

Vicky le enfrentó sus ojos como una inexpresiva muñeca de porcelana, como una maravillosa y artificial replicante de F. K. Dick. Se apartó el pelo de la cara y sonrió sin despegar la boca, dejando ver unos lacitos brillantes que colgaban de sus lóbulos cuya cotización haría subir el índice de la bolsa de Madrid. Por sus ambiguos gestos, no parecía capaz de controlar sus renovadas facciones de catálogo, sin embargo, desprendía una atracción irresistible, mezcla de seducción, coquetería, sensualidad y descaro, una frívola actitud que continuamente le enviaba a Nereida mensajes equívocos. Ella, adivinándole el pensamiento, se levantó. El asiento de cuero del sofá se estiró con suavidad y borró lentamente la huella del molde de sus nalgas.

Nereida llevaba más de dos meses de capa caída. El día que enterró a Manuela, envejeció muy deprisa y se ahogó en el fango de sus recuerdos. Después de una antológica borrachera que estuvo a punto de enviarle al otro barrio, hizo una solemne promesa de sobriedad que le estaba matando poco a poco.

La garganta seca le ardía desde el desayuno, casi tanto como el estómago con los malditos churros de «La Pucelana» Obedeciendo la prescripción facultativa del forense Colmenero, deshizo el juramento en aquel instante y, aunque no debía animarse más de lo que estaba, pidió a la viuda un martini mezclado con vodka.

Vicky trajo las bebidas y las ondulaciones de su cuerpo. Gozaba de esa clase de belleza refinada y superflua que desasosiega, una belleza casi sobrenatural, inútil como la alta costura, como el poema que te desgarra el alma. Al trasluz de la luz invasora, su vestido describió unas cuantas curvas peligrosas, acelerando aún más el pulso de Nereida, que titubeó al estrechar la copa y no pudo evitar el temblor de su mano. Entonces comprendió el misterio del pecado original. La viuda intuyó la desazón.

—No tema, no soy Lucrecia Borgia. Puede beber tranquilo.

—¿Sospecha de alguien?

Negó con la cabeza. El sofá rápidamente se doblegó a las formas de su cuerpo. Su melena abanicó ligeramente el aire y regaló al inspector un hálito de perfume.

—No. Mire, Arturo tenía muchos enemigos íntimos en el mundo de la literatura, pero no creo que llegasen tan lejos como para acabar con su vida. Aunque cuando los conoces te parece un milagro que no acaben despedazándose entre ellos. Para que se haga una idea, son como alimañas. Se odian cordialmente en público y se despellejan en privado. Pero de ahí al asesinato va un trecho.

—¿Y lo de la violación?

—Denuncia falsa, inspector. Créame. Ya le he dicho que Arturo era homosexual y, además, impotente.

Nereida se aflojó el nudo de la corbata para aliviar el de la garganta, vació de un trago el vaso y releyó una pequeña nota que extrajo del bolsillo. La viuda tomo un sorbo del martini mirando al inspector por encima de la copa. Sus labios gruesos se humedecieron como una vulva excitada y fresca. Aquella mujer irradiaba una temperatura que neutralizaba la del aire acondicionado. El inspector aguantó poco tiempo su mirada y retomó como pudo el interrogatorio.

—Ustedes llegaron sobre las 23 horas y encontraron el cadáver...

—¿Llegaron?

—El chófer y usted. Me gustaría hablar con él.

—Tiene el día libre. El pobre fue el primero en ver el cadáver y le dio un vuelco al corazón. Está muy traumatizado.

—¿El pobre? No es un alma de la caridad. Ese tipo está fichado.

—Nos hacía de chico para todo. Y usted sabe que hay ciertas habilidades que sólo se aprenden en la calle... Vamos, no imagine cosas raras —y compuso un rictus de contrariedad.

—Corre usted mucho y prejuzga demasiado —afirmó el policía, alzando un poco la voz, consciente de que aquella mujer estaba dominando la situación. Y eso le ponía de los nervios.

—Quizá, pero no se haga de nuevas, inspector. No creo que usted sea de los que se escandalizan fácilmente. Le supongo una mentalidad abierta, parece usted un hombre moderno, ah, y tiene buen gusto para las corbatas...

Nereida observó el cerco de la mancha en la seda y por primera vez desde hacía meses, amagó una ligera sonrisa.

—Dejémonos de sutilezas. Soy una mujer práctica. Yo no creo en príncipes azules ni busco ningún Orfeo que me rescate de los infiernos. Le aseguro que no se pasa tan mal allí. En cualquier caso, ser, lo que usted llamaría una puta, no me convierte en sospechosa. ¿Supongo?

El inspector se recostó hundiéndose más en el espacioso sillón de piel. La coartada del confesor le había parecido tan falsa como su rostro pero no la creía capaz de matar.

Una espantosa melodía que reproducía los sonidos de la Tocata y Fuga de Bach interrumpió la conversación. Antes de hablar por el móvil, Vicky, aguantó unos segundos la estridencia, comprobó el número y calentó sus cuerdas vocales con unas tosecillas nerviosas. Su voz tomó un punto de inflexión distinto, casi teatral.

—¿Me disculpa?

Y se alejó lo justo para que no se oyeran sus sorprendentes palabras maternales, dejando a Nereida atrapado en la comodidad de la butaca y en la reconfortante compañía de los libros. Lejos ya de su campo magnético, echó una ojeada panorámica por la sala y curioseó por la abarrotada biblioteca.

Una pared desnuda sostenía un colosal cuadro completamente negro de Jesús Capa. Se preguntó si el negro era un color. O quizá sólo fuera el exacto reflejo de la noche, el misterio de la luz, la metáfora de lo que queremos ver y no vemos. El velo del secreto. La muerte. ¿Existe un color más fúnebre? Aquel luto elegante y enigmático le apartaba de los libros y le atraía como un agujero negro. Inquietado por aquella negrura que le traía malos recuerdos, Nereida desvió la vista del lienzo. El cuadro era el espejo de su vida. Él no sabía lo que era pintar, pero no le costaba imaginar el sufrimiento del pintor ante el lienzo inmaculado, la angustia atenazada a la paleta abigarrada de colores en busca del tono inalcanzable. De ese negro.

Hizo un somero registro por la biblioteca. Sobre la madera de árboles que nunca más volverían a dar nueces, encontró ediciones antiguas de las obras de Poe, Bataille, Chesterton y Bocaccio, y una ilustrada de *La venus de las pieles,* tocó los lomos de *Justine* de Sade y de *Lolita* de Nabokov, y hojeó las páginas del *Elogio de la Madrastra* de Vargas Llosa. La viuda regresó al cabo de una media hora y se detuvo un instante en el umbral de la puerta, apoyándose con indolencia en el marco. Les separaban tres metros pero parecían centímetros.

Aquella mujer, como los libros que acababa de hojear, no era apta para menores. Su cuerpo ingrávido emitía ondas magnéticas, emanaba una extraña radiación compuesta de erotismo, perfume y misterio que entorpecía las deducciones profesionales de Nereida. La luz recortaba su fantástica silueta y transparentaba aún más su vestido. Era como una aparición. Las lentillas de sus ojos refulgían como turquesas entre la sombra de su bronceado y le hipnotizaban. Ella le miraba sin pestañear y él era incapaz de sostener aquella mirada felina. Apartó un molesto mechón de pelo rubio y preguntó:

—¿Me lleva al aeropuerto?

El policía dudó un instante

—No tema, no pienso huir. Me espera mi hijo.

Nereida estaba tenso y se limpió la frente con el dorso de la mano. No podía sofocar aquella guerrilla hormonal que le ahogaba, aquel despilfarro de testosterona que le intoxicaba la sangre. Él ya sólo frecuentaba cuerpos de pago, prostitutas sin aquella sofisticación que en ese instante le hipnotizaba. Ese era un lujo que no parecía estar en venta, una morbosa tentación que, indudablemente, no estaba a su alcance. Pero a la vida hay que echarle algo de valor y se dijo, como Oscar Wilde, que la mejor manera de librarse de la tentación era caer en ella. Sabiendo que se despreciaría por intentarlo, decidió embestir como un toro de lidia ante el atractivo señuelo. Una moneda tirada al aire, una probabilidad del cincuenta por ciento. Cara o cruz.

La sangre fluía a un ritmo endiablado. Sin pensárselo dos veces, quemó sus naves, se levantó y, aunque hubiera preferido hacerlo más abajo, le rodeó un brazo por la cintura y la atrajo torpemente hacia sí. Sintió que el perfume de su sedoso cabello le drogaba. Ella, lanzó un prolongado suspiro y consintió que le besuqueara el cuello. Durante un instante fugaz permitió también que comprobara la tersura plastificada de sus carnes con un torpe y ansioso manoseo.

—Es tarde —dijo apartándole bruscamente, como si se hubiera quemado—, debo irme.

Anubis, inmóvil como un perro de cerámica, había observado la escena desde un rincón del salón y emitía un gruñido extraño. Aquel parecía un territorio marcado por los mojones de una orina que seguramente oliera a colonia, y cuyos linderos defendía con uñas y dientes. El perro y el policía se miraron fijamente a los ojos. Esa mirada intensa y desafiante hizo que el animal mostrara sin tapujos la agresividad de sus afilados colmillos. Aquel maldito perro no sabía ladrar. Solo gruñía.

Nereida se encaminó hacia la puerta lamiendo las heridas de su orgullo. Nunca acertaba cuando lanzaba al aire una moneda y predecía cara. Mala suerte. Siempre viajaba con esa indeleble sensación de frustración, siempre lamentando tener que lamentar estas cosas.

En el incandescente Toyota del inspector sólo entraban dos personas, doscientos caballos y miles de silencios. El perfume francés de Vicky, el mismo que el de

Nadia, la prostituta ucraniana del Templo de Venus neutralizó el penetrante tufo del ambientador de pino que colgaba del retrovisor y se impregnó para siempre en la tapicería del coche y en la de Nereida. Por la autovía de la M-40, los glóbulos rojos pisaron el acelerador a una velocidad ilegal.

—¿Va siempre tan deprisa? —preguntó Vicky, arañando el espeso silencio.

Hundido en su asiento y sumido en un autismo culpable, Nereida no respondió. Recorrió frenético el dial de la radio. La búsqueda se detuvo en una emisora donde sonaba un quejumbroso bolero de Armando Manzanero: *Llévatela*

Vicky le ofreció un cigarrillo para rebajar la tensión que se había apoderado del vehículo, imantado para siempre con su presencia. Él cruzó una mirada ambigua y lo rechazó con un gesto que condensaba esa sensación de derrota que nunca es tan intensa ni tan destructora como cuando se ha creído estar tan cerca del triunfo.

Cuando llegaron al aeropuerto de Barajas, ella se despidió como si nada hubiera pasado. Aproximó con calma los labios al rostro de Nereida y le dio un ligerísimo e intencionado beso en la mejilla. Después sostuvo abierta la portezuela del coche más tiempo del necesario, le miro fijamente, achinó los ojos y, con la teatralidad propia de las mujeres inteligentes, le dijo:

—Usted, Nereida, no sabe nada de mujeres. ¿Verdad?

ANTES DE IR A LA PLAZA DE CASTILLA Y HACER UNA visita al Juzgado de Instrucción de Justo Munilla, el inspector hizo una parada en las oficinas de Mapfre para averiguar quién era el beneficiario del seguro de vida del difunto. La póliza no arrojó ninguna luz sobre el caso. El eximio escritor destinaba todo el dinero del seguro a la creación de una fundación que perpetuara su vanidad y su obra. Nereida imaginó que su testamento incluiría además una partida para marquesado, escudo heráldico y mausoleo en la avenida de los personajes ilustres del cementerio de la Almudena.

El escáner de la puerta de acceso no paraba de pitar y retenía la procesión de truhanes, galeotes y litigantes. Nereida la eludió mostrando su placa y se internó en el laberinto de los juzgados en busca del Minotauro homicida. Se abrió paso con decisión entre el gentío apostado en los pasillos y sorteó a codazos la indolencia de procuradores y abogados, la rutina de los funcionarios, las montañas de papeles apilados contra las paredes y las miradas como agujas de hampones y delincuentes de cuello blanco que habían gozado de impunidad y vida relajada hasta que se cruzaron en su camino. El Dabuten y el Ciempiés, rateros de poca monta que acudían al juzgado con más frecuencia que los propios funcionarios, ahuecaron el ala de allí cuando le vieron aparecer.

El magistrado había regresado de Méjico completamente trastornado y era ya la comidilla de todo el edificio. Aunque resultaba indudable que había perdido la cordura, seguía por el momento ejerciendo sus funciones jurisdiccionales con el beneplácito del Consejo General del Poder Judicial. Nereida dio con los nudillos en la puerta de su despacho.

—¿Señoría, da su permiso?

A través de la rendija de la puerta, y como amortiguado por los voluminosos tomos de jurisprudencia y los legajos que empapelaban las paredes, el inspector creyó escuchar un lejano ¡Adelante!

Sobre la desordenada mesa de aquel despacho, papeles y atestados dormían el sueño de los justos. Un enorme crucifijo de marfil y un cuadro con la foto del rey disfrazado con una toga de mayor calidad que la de Carlos Vivales presidían la estancia. El republicano Nereida miró la fotografía oficial y pensó en el traje del cuento de Andersen.

Justo Munilla, también conocido en los ambientes judiciales como Santurrón paseaba con la toga de un lado a otro con las manos cogidas a la espalda. Deambulaba alucinado, yendo y viniendo con una prisa enloquecida, lanzando miradas rápidas y recelosas a su paso. Maldecía con gesticulaciones histriónicas y alharacas a las mujeres, causa de su tormento y origen de su desdicha, y preguntaba obsesivamente por una tal Elisa, a quien calificaba encolerizado de grandísima puta.

—Alabado sea Dios, Señor nuestro y Señor de todo el mundo, porque no me ha hecho mujer... —voceaba, apuntando al techo con un dedo nervioso.

Nereida carraspeó varias veces.

—Pase, pase inspector. ¿Me ha oído? Eso es lo que dicen los judíos en su primera oración del día.

—No domino precisamente los temas religiosos, señoría.

—¿Al menos recordará lo que enunciaba el Génesis?

Al principio sólo existía varón. La mujer llegó como un derivado tardío e imperfecto de una costilla sobrante de Adán y le embriagó con el vino de la fornicación —relató ahuecando la voz.

Nereida no daba crédito a lo que estaba escuchando y miraba con estupor al magistrado. Era todo tan incongruente que causaba hilaridad. Al inspector no. Concepciones del mismo jaez no hacían más que darle trabajo. Aprovechando una pausa, pudo meter baza entre aquellas letanías y explicar el motivo de su visita. Ante la pasividad del magistrado, que seguía ajeno con sus trastornos e invocaciones, buscó el sumario de Galán por su cuenta y revolvió entre los papeles de su mesa.

Debajo de varios códigos y revistas de la Asociación Profesional de la Magistratura por fin lo encontró, aunque apenas se habían grapado las diligencias practicadas. Traspapelados entre otros procedimientos y escritos del Ministerio de Justicia, halló el certificado de defunción de Galán, un informe del Instituto Nacional de Toxicología y la prueba psicológica realizada a la víctima de la violación.

Mientras tanto, Justo seguía absorto en su paseo meditativo y monástico por el reducido espacio del despacho.

El inspector leyó con atención el informe de Toxicología. La conclusión parecía determinante:

Analizadas las muestras de semen y saliva halladas en el cuerpo de la víctima, los resultados obtenidos en el análisis de polimorfismos de ADN permiten excluir la identidad de Arturo Galán.

Vicky no le había mentido. Aquel informe ratificaba que el escritor no había sido el autor de la violación. Echó también un rápido vistazo al examen psicológico de la denunciante. Ahora, su lectura era constantemente interrumpida por las descarnadas preces de aquel enajenado con toga.

—¡Qué razón tenía Santo Tomás:La mujer es un hombre malogrado, un ser accidental! Inmundicia. El poder de la bestia.

La prosa no era muy literaria pero su contenido también resultaba elocuente:

Alicia López Olmedo nació el 23 de octubre de 1972. Padeció las enfermedades propias de la infancia y tuvo la menarquía a los 13 años. El aprendizaje sexual fue precoz y anómalo. A los 16 años inició relaciones con su profesor de literatura, un escritor frustrado, según confiesa, quince años mayor que ella. Dejó inacabada la carrera de Filosofía y Le-

tras y comenzó a trabajar a los 21 años como secretaria en la editorial «Cronopios y Famas» La editorial acabó en quiebra y fue absorbida por una multinacional. La despidieron. Tras agotar el subsidio de desempleo, trabajó como vendedora de libros en el Círculo de Lectores.

Desde hace un año ejerce la prostitución. Las citas las concierta por teléfono, sólo acude a hoteles y selecciona los clientes.

Se trata de una mujer de constitución leptosomática con la que, a pesar de la escasa capacidad de empatía que demuestra, se establece un buen raport. Sus respuestas son secas y concisas, si bien su actitud manifiesta desconfianza y recelo.

A pesar del estrés postraumático de la violación, su relato es coherente. Bien orientada.

Al inicio de la prueba observa atención e hipervigilancia, pero a medida que avanza el cuestionario, desemboca en un ostensible desinterés debido a la indiferencia que le provoca el examen psicológico. Bosteza y dramatiza en exceso un aire de fatiga.

El nivel de inteligencia es medio alto, con gran capacidad de juicio e ideación. Buena memoria de fijación y evocación. Alta capacidad de síntesis y abstracción.

No bebe alcohol ni consume drogas. Es fumadora empedernida.

Durante el estudio manifiesta un control estricto de sus sentimientos. Se presenta fría y desapasionada, pero a la vez entusiasmada por la atención que ha despertado. Precisamente, cuando se le informa de la importante alarma social causada adopta el papel típico de víctima, y exterioriza un afectado ademán resentido pero a la vez presuntuoso y desenfadado.

Se muestra indiferente a los halagos y a los reproches. Revela con aparente calma datos e incongruencias propias de un cuadro de delirios de grandeza, así como una propensión mórbida al exhibicionismo y a la ocultación de la realidad.

Su sexualidad es inmadura. Siente aversión por su sexo y repulsión por el acto sexual. Tiene una acusada tendencia mitómana, calculadora, superficial e inestable.

En conclusión, se puede definir la personalidad de Alicia López como esquizoide e histérica.

Este tipo de caracteres tiende a la fantasía, a la fabulación de un mundo fascinante y ajeno con el que compensar la frustración que sufren a diario.

Por la importancia del hecho delictivo, hay que hacer constar que en estos casos suele ser frecuente la denuncia falsa de una violación, que viene motivada generalmente por el chantaje, la venganza, el rencor, la ficción histérica o la necesidad de suscitar atención o compasión.

Prohibidos en la práctica forense el llamado «suero de la verdad« y el detector de mentiras no se puede afirmar categóricamente que la víctima mienta, pero su denuncia ha de ser cuidadosamente contrastada con los demás medios de prueba que obren en el sumario.

En una de sus idas y venidas, el juez arrebató el informe a Nereida y lo leyó con morosidad y expresión ensimismada. Cuando concluyó, recuperó sin ningún esfuerzo su desequilibrado discurso:

—¡Maldita ramera! Ya se lo decía yo, la mujer es el principio del mal, la «rosa del infierno» Sabe, inspector,

Platón agradece a los dioses dos favores, el primero, que le hayan creado libre y no esclavo, y el segundo, que le hayan creado hombre y no mujer.

—Entre usted y yo, señoría, creo que Platón era maricón —dijo Nereida echando más leña al fuego demente, mientras tomaba algunas notas del sumario en su libreta.

A pesar de la actitud profesional del policía, el juez proseguía con su delirio misógino.

—No hace al caso. Pitágoras no lo era y también afirmaba:

Hay un principio bueno que ha creado el orden, la luz y el hombre, y un principio malo que ha creado el caos, las tinieblas y la mujer —gritó el magistrado con la voz enronquecida.

El inspector, curado de espanto ante estos y otros comportamientos judiciales, salió de allí sin despedirse y dio un portazo. El portazo, en vez de cerrar la puerta, hizo que rebotara, dejándola abierta de par en par y permitiendo que las voces de aquel enajenado se oyeran nítidamente por los pasillos de los juzgados.

—¡Madrid, Babilonia, Sodoma, la gran ciudad, mujer impura, madre de todas las rameras y de las abominaciones de la tierra!

LA TARDE ERA SOLEADA PERO PARECÍA ENTOLDADA por una leve gasa blanquecina.

Marcela Sumalavia, la agente literaria del finado Arturo Galán, tenía el despacho en la calle Santa Isabel, muy cerca del Centro de Arte Reina Sofía.

En la claustrofóbica sala de espera de la agencia literaria un par de mozalbetes esperaban aferrados a su sueño dorado en forma de portafolio. Se les veía inquietos y cabizbajos. A pesar de que contagiaban nerviosismo, incluso desesperación, el hilo musical con sonidos de newage hindú y el perfume a sándalo de la estancia intentaban propagar un ambiente de relajación.

El inspector se repantingó en una de las butacas y revolvió las manoseadas revistas de la mesa.

En portada de una de ellas, Nereida reconoció al viejo del anuncio de la bebida energética. A pesar del maquillaje, aquel abuelo era difícil de olvidar. Fausto Bandarra posaba acaramelado con su nueva novia, la joven actriz mejicana Jackelinne Mejía, que le dedicaba una empalagosa mirada de arrobo. El pie de foto lo calificaba de apasionado romance desatado gracias a los efectos de una milagrosa bebida: Mefisto

Espantado por la imagen, descartó la lectura de aquella revistucha y se puso a hojear unos atrasados suplementos literarios. Sin excesivo esfuerzo analítico, comprobó que los mismos autores en promoción copaban los reportajes y las críticas. El resto del espacio quedaba para los libros publicados por los críticos y columnistas de la empresa. Para mitigar la espera, se demoró en la lectura de alguna de aquellas críticas, y se manchó de la cal y la arena del panegírico y la adulación de los nombres intocables. También leyó con atención el anuncio del otrora prestigioso premio Astral de Novela: convocatoria pública, plica cerrada, lema, seudónimo...

Nereida levantó la vista y observó apesadumbrado a los jóvenes escritores que esperaban ansiosos la entrevista con su ángel de la guarda. Notó que su curiosidad parecía aumentar el estado de nervios de aquellos chicos, así que desvió su mirada hacia las paredes de la sala de espera. Enfocadas por una luz tenue, colgaban las retocadas fotografías en blanco y negro de los autores estrella que con su diez por ciento contribuían a la causa de Marcela y aligeraban su cuantiosa factura telefónica.

Allí estaban, junto al difunto Galán, con sus forzadas sonrisas y sus poses estupendas. Para unos ya habría negociado algún premio de postín o jugosos anticipos por libros nasciturus, y para otros, novelita publicada en editorial de prestigio, ferias y festejos de pago, rentables colaboraciones en prensa, reportajes sobre viajes que nunca se hicieron, y bolos para sus discursos rellenos de ridículas citas, reflexiones vulgares y letanías maquilladas de erudición intelectual.

Los chicos seguían inquietos, miraban a Nereida y parecían leerle el pensamiento. Seguramente, las fotografías de aquellos autores sagrados y consagrados producían en ellos el mismo desasosiego que esos primeros planos de encías sangrantes, bocas devoradas por la caries y piezas dentales desvitalizadas que cuelgan los macabros dentistas en sus salas de espera.

Marcela atendió la preferencia del inspector y le invitó a pasar a su despacho. Emerenciano Nereida se arregló el nudo de la corbata y se pasó la mano por las sienes, alisando su crespo y encanecido cabello.

El despacho de la agente literaria olía a lapiceros, sacapuntas y goma de borrar. Las estanterías, repletas de libros y proyectos literarios, estaban salpicadas de detalles infantiles: muñequitas de trapo, dibujos näif y pequeños peluches. Todo estaba desordenado y lleno de papeles, casi no había sitio donde sentarse.

Aquella atmósfera pueril retrotrajo por un instante a Emerenciano a su triste infancia de huérfano republicano en la Escuela Nacional de Morales del Vino. Le evocó a Roberto Alcázar y Pedrín y al Guerrero del antifaz, al Cara el sol, al Catecismo y las Glorias imperiales, a la peonza, el tirachinas y a sus eternos y remendados pantalones cortos. Al tenebrismo.

Entre los espacios que dejaban aquellos libros, había también bastantes portarretratos. A Nereida no se le escapó el detalle de que todos ellos contenían fotografías de mujeres. La pared la ocupaba una especie de mural de la secta *Meditación Transcendental* en el que se podían leer las lapidarias advertencias de un supuesto monje tibetano, el gurú Maharishi M.Yogui:

Occidente no está todavía preparado para la verdad y *No os fiéis de las apariencias, disminuid la actividad mental y sed vosotros mismos.*

Aquel parecía el cuarto de una adolescente desquiciada, a medio camino entre la patología y la decoración oriental.

Marcela Sumalavia era pequeña y vivaracha, y frisaba la edad de los sofocos y los desarreglos menstruales. Tenía el pelo corto pero revuelto, teñido de azafrán y pincelado con mechas violetas, la piel pecosa y apergaminada, y unas pronunciadas arrugas en las comisuras de sus labios cinceladas de tanta sonrisa forzada. Vestía con trasnochada tendencia *hippie,* híbrido del *Power flower* y de Ágatha Ruiz de la Prada: Una falda larga estampada de chillonas margaritas, una holgada blusa negra sin mangas y, a pesar del calor, un indefinible foulard de seda rescatado de los adoquines de mayo del 68 que quería ocultar las arrugas de su cuello. Era una adolescente envejecida con ademanes pizpiretos que hablaba a borbotones con una voz desafinada y nasal, soltando sin descanso un repertorio de gallos, ronquidos y gorgoritos. Apenas dejaba intervenir.

—¿Usted dirá? Viene por lo de Galán, ¿no? Ay. Una pérdida irreparable.

—Especialmente para usted.

—Sobreviviré.

—Cómo diría un escritor argentino, seré breve. Veo que tiene clientes esperando tocar algún día la gloria literaria.

—¡Pobres! Nunca les doy una negativa, simplemente aplazo la respuesta. Algunos se desesperan y abandonan. Ignoran que la mayoría de los escritores o fracasan o son unos fracasados. Selección natural, don Emerenciano.

—Puede llamarme Nereida.

—Esto ya no es lo que era, Nereida. Puede que le suene un poco cínico, pero déjeme que le diga una cosa: Yo también tuve el mismo sueño y una vez quise ser poeta. Pronto me desengañé.

—Nunca es tarde.

—Siempre es tarde, inspector. Aquí está todo el pescado vendido y la tarta partida y repartida. La guinda del éxito no tiene nada que ver con la literatura. Y se lo digo yo, que formo parte de este diabólico engranaje. Ya he olvidado la gracia que no quiso darme el cielo y las blondas alejandrinas. Ahora piso tierra —y añadió, abanicándose con un libro de Gamoneda—,tierra movediza, pero tierra al fin y al cabo.

—¿A qué se refiere?

—Desgraciadamente, ya no valoro la calidad sino el justiprecio. Hágase cargo, no puedo quedarme fuera de juego.

—Un poco cruel para los chicos que ahora se devoran las uñas en su sala de espera.

—¡No les compadezca tanto! —exclamó la agente literaria con un ligero mohín.

—¡Por qué no? Son como los hambrientos que aplastan su rostro contra el cristal de un restaurante de lujo.

—No se engañe Inspector, no hay más mesas en este restaurante. Desengáñese, esos chicos pican alto, sólo buscan fama y dinero y también quieren comer caviar de beluga en uno de cinco tenedores. O César o nada. Créame, tienen más ambición económica que literaria.

—No se puede vivir del aire. —sentenció Nereida

—Ni del humo...No está bien que yo lo diga, pero es así —añadió con un tono de importancia—. Es una infección. Hoy todo el mundo se cree capaz de escribir y poner el cazo. Esos chicos se obsesionan con la imagen del escritor triunfador y quieren volar muy alto con esos aviones de papel que me traen encuadernados. Y hoy, Nereida, ya hay más escritores que lectores.

—Dicho así, no parece que escribir tenga mucho mérito —ironizó el inspector.

—En los tiempos que corren tiene más mérito leer. Y no me extraña. En el fondo, son tristes escribiendo. Se lo toman como una especie de apostolado. ¿Qué cree que me traen?

—La Biblia en verso.

—Algo así. Han oído campanas y quieren enterrar la novela y acabar con la literatura. Y estoy segura de que a este paso lo van a conseguir. Olvidan los antecedentes y sólo parecen imitarse unos a otros. Todos citan a Bukowski sin haberlo leído y me traen las mismas novelas de diseño, casi guiones cinematográficos, *Pulp Fiction:* Vanguardia, borracheras y resacas sin ton ni son, metáforas amontonadas, adjetivos al tuntún, actrices porno, internet e hipertexto. Nada que decir. Sólo pretenden hacerse un hueco en el Olimpo de los dioses y en la nómina de la

Dirección General del Libro. Tienen tanta prisa por llegar, que nunca llegan ¿Se da cuenta? —concluyó la agente, al borde mismo de la afonía.

—Subversiones que sólo buscan subvenciones. ¡Qué pena! — corroboró Nereida, siguiendo la corriente de su perorata.

—Olvidan que la novela es algo más que un artículo de diseño. O novela histórica, o novela histérica. Eso es lo que hacen.

Marcela dejó de mordisquear el bolígrafo y atendió un par de llamadas de la editorial Algazara. Era una mujer hiperactiva y de verbo febril. Sus manos nerviosas no estaban quietas un segundo y su conversación era torrencial.

La mesa sostenía un montón de ilusiones en forma de mazos de folios. Originales no solicitados de escritores desconocidos de los que, a lo sumo, sólo leía las cinco primeras páginas antes de desestimarlos. Intentó buscar algo en lo que apuntar unas notas aparentemente sin interés profesional referidas a las Islas Caimán y al revolver con brusquedad se le cayeron al suelo unos cuantos papeles. Nereida los recogió y no pudo evitar echar un rápido vistazo. Eran educadas cartas de rechazo, pésames literarios y artificiosos mensajes de ánimo para autores primerizos. Al agacharse, se fijó en sus zapatos fucsias con florecitas verdosas y en sus piernas rechonchas. En uno de sus tobillos se advertía un aparatoso vendaje. Cuando ella colgó, el inspector retomó el hilo de la conversación.

—Quién sabe, acaso esos muchachos puedan ganar algún día un premio importante. El Astral, por ejemplo —aseguró el inspector con sarcasmo.

—¿Lo cree realmente? —preguntó ella con una sonrisa escéptica.

—¿No son convocatorias públicas?

—¡Vamos..., no sea iluso! —exclamó con descaro.

Marcela se mordió el labio, pero no la lengua.

—Las cosas son como son, amigo Nereida. Hay quien escribe para vivir y quien hace de escribir su vida. Ninguno de éstos ganará uno de esos premios importantes ni integrará la lista de los escritores más vendidos. Esas listas son para los omnipresentes, los exhibicionistas, los consagrados, ésos a los que la crítica idolatra y perdona todo. Tipos como Arturo Galán, engreídos y peseteros, encantados de haberse conocido, que buscan su nombre hasta en las esquelas.

—Supongo que esos impostores caen pronto.

—Supone mal. Nada de eso. El marketing editorial se ha especializado en encumbrar a escritores de medio pelo, diletantes y advenedizos, que sin ese apoyo no ganarían ni el concurso de cuentos de su pueblo. Estos vividores nunca pasan a la posteridad, pero mientras tanto, que les quiten lo bailado.

—Negro para los que empiezan...

—Negro sobre un blanco nada inmaculado. Los nuevos sólo entran con cuentagotas y tampoco echan raíces. Aves de paso. En los últimos años ha habido decenas de escritores prometedores de los que ya nadie se acuerda. ¿Le digo nombres?

—¡No, por favor! No tengo toda la tarde.

—Pero todo en este mundo es cíclico. Alguno llegará. Ahora se quejan y patalean, pero cuando están arriba lo olvidan y cicatrizan los agravios. El éxito es la mejor anestesia, Nereida. Esos chicos harán tres cuartos de lo mismo. Tampoco dejarán sitio a los que empiecen ni harán remilgos a aceptar dinero público, ociosos cursos estivales o premios de encargo. No, no les dolerán prendas en formar parte de todos esos jurados amañados que no llegan nunca a leer las novelas. El triunfo envilece, inspector.

—No deja títere con cabeza...

—El hecho de que me dedique a este tinglado no me impide soltar verdades como puños —y al decirlo, elevó el derecho. Nereida imaginó que se disponía a cantar la Internacional.

—Sigue usted refugiada en las barricadas de mayo del 68 —dijo el inspector.

—Eche un vistazo, mire a su alrededor. ¿Qué nos está ocurriendo? ¿Por qué la idiotez más absoluta se ha adueñado de nuestras vidas? Es un proceso tan sutil, tan silencioso y demoledor que parece diseñado por alguna de esas oficinas de inteligencia.

—Vaya, es usted tan pesimista y escéptica como yo. Y como el difunto Galán. Creo que también cultivaba ese discurso. ¿Lo conocía bien?

—Él era un hipócrita. ¿Ha leído su última novela?

—No.

—*Polvo enamorado*. Casi un libro de autoayuda para inconformistas. Quejas y confidencias de una mujer aparentemente feliz a la que todo le hace daño. Entre nosotros, salvando algunos detalles, una horterada.

—Galán parecía un triunfador sin aparentes problemas... Hábleme de él.

—Era un hombre amado y odiado a la vez. Un hombre herido en la cima del éxito. Ciclotímico y amargado. Créame, un tipo frustrado.

—Nadie lo diría.

—Odiaba esta sociedad y no se sentía a gusto en ella.

—Eso empieza a ser muy común entre el gremio de escritores —ironizó el inspector.

—Ahora andaba en cosas raras sobre la terapia génica, las células madre, la clonación, la criogénesis y dios sabe qué más disparates. Documentación para otra novela, decía. No era del todo cierto, le aterraba hasta el horóscopo. Se había enterado de que cientos de millonarios dormían hibernados a 196° bajo cero en algún lugar de norteamérica a la espera de una vida futura mejor y eso le obsesionaba más allá de la ficción. No ha llegado a tiempo. Ya ve como ha acabado —concluyó, enfrentándole la mirada unos segundos. Luego le ofreció un brebaje hindú de una tetera.

—¿Quiere probar un chaí, un té con menta?

—No gracias, estoy de servicio.

Mientras la representante del difunto Galán se servía la infusión, Nereida reflexionó un instante. Todos tenemos una oscura pulsión que circula en un atestado vagón del subconsciente, unos instintos inconfesables recluidos en la trastienda del alma. Parece que de allí sólo puede rescatarlo la poesía o la ginebra.

—Al menos no se abandonaba. Publicaba a menudo y estaba continuamente en los medios —reaccionó el inspector.

—No crea. La presión de los contratos y el estrés de las entregas a tiempo le habían bloqueado. La gloria le perjudicó.

—Decían los griegos que la fama es el presente que hacen los dioses para hundir a los humanos.

—Eso le pasó. Galán se sometió pronto a los tiránicos dictados del mercado y al gusto de su vulgar clientela. Su estilo se envolvió de pedantería y papel de celofán. Pronto llegó la ausencia de inspiración, la escritura manierista y las poses estupendas. En resumidas cuentas, la falta de talento.

—Siga, siga...

—Últimamente pasaba largos periodos sin escribir, y eso, ahora, no puede permitírselo nadie. Este mundo es muy competitivo. Si aflojas y desapareces un año, te olvidan. La vida de un libro tiene la fecha de caducidad de un yogur. Hay que producir en serie, estereotipar el estilo y colocar tu nombre en el mejor sitio de los escaparates cada seis meses.

—Creía que estábamos ante un nuevo siglo de oro. —dijo el policía, pronunciando las últimas letras en cursiva.

—Nada de eso, Nereida. Todo es trivial y pasajero. Todo sobrevalorado. Se busca cantidad, no calidad. Talante en vez de talento. Se ha difundido la falacia de que cuanto más se vende un libro, mejor es. ¿Sabe lo que opinan los nuevos ejecutivos de las editoriales?

—Me lo figuro, pero no estoy al tanto.

—Que para escribir no hace falta saber hacerlo, basta con ser famoso o periodista de renombre, dos o tres consejos de un avezado agente y un par de ocurrencias.

Esa receta muestra el verdadero rostro de nuestra sociedad: La mediocridad.

Marcela miró con aprensión hacia la puerta de entrada y bajando la voz preguntó:

—¿Puedo confiar en su discreción, Nereida?

—Por supuesto, considere su despacho como un confesionario.

—¿Sabe que le digo? Y respiró hondo, aumentando la talla de su pecho.

—¿Qué? —contestó impaciente Nereida.

Marcela se irguió de su asiento, desanudó el pañuelo y siseó:

—Tenemos un chico... un corrector de tapadillo.

—¿Un negro?

—Sí. Se llama Narciso Suances. El público esperaba ansioso el producto de la marca Galán y no tuvimos más remedio que contratar a un escritor necesitado para que le sacara las castañas del fuego. Un representante más de la nutrida generación de licenciados en filología destinada al fracaso. El chico es un desastre y está como un cencerro, pero tiene otro estilo, otro desparpajo. Resumiendo, un buen día encontré sobre esta mesa el genial y corrosivo estilo de Narciso y le propuse la asociación. Era el complemento perfecto a su cursilería. Daba los retoques necesarios para convertir sus tediosas noveluchas sentimentales en divertidos experimentos literarios. Impregnaba de ritmo y energía su estilo moroso y llenaba de vida los tiempos muertos con los que Galán alargaba innecesariamente sus novelas. Créame, su prosa pasada por aquella batidora se hacía más digerible. De no ser por él, sus personajes tardarían veinte páginas en contestar al teléfono. *Polvo enamorado* es una novela aceptable sólo gracias a la lente deformante y satírica de Suances.

—¡Vaya! El gran secreto. ¿No se les caía la cara de vergüenza?

—En absoluto. Fue una suerte dar con él. Con su ayuda, el laureado escritor, además de producir periódicamente, parecía tener talento.

—Eso decían de él.

—Pues no había nada de eso. Ya le digo, lo de Galán sólo eran tablas, oficio y, si me apura, amaneramiento. Una vez sonó la flauta por casualidad. Y nada más. Después de su primer libro *Malas bestias* se esfumó el ingenio y la disciplina. Sus textos se poblaron de unos personajes predecibles y se tiñeron de un morbo ramplón. Para ocultar sus carencias abusaba de las descripciones escabrosas y de las groseras palabras de cuatro letras. Como decía Henry James no tenía nada que contar, aparte de la flamante monotonía de su éxito.

—Hábleme del negro.

Marcela Sumalavia arqueó la espalda y agitó el cuello con maneras de taichí.

—Narciso, sin embargo, es otra cosa. Improvisa, desvaría, pero tiene descaro y talento. A manos llenas. La inspiración parece sobrevenirle como por arte de magia, como a uno de esos geniales pianistas de Jazz que no paran de fumar y sorprenden cada noche con su música, que son capaces de animar el local con una mano ocupada en el vaso de whisky y la otra sobre el teclado. Creo que así es como escribe.

—¿Cómo lo llevaba Galán?

—Con resignación. Aunque todavía daba coletazos vanidosos. En público se jactaba de ser un genio, un predestinado y proclamaba la inmortalidad de su obra, pero en su fuero interno sabía que estaba acabado.

—¡Se está despachando a gusto! ¿No le parece un poco injusto? Supongo que Galán le ha hecho ganar mucho dinero.

—No puedo negarlo. Era su agente pero, para serle sincera, no soporto a esos autores prometeicos que sienten la literatura como una misión. A decir verdad, sólo nos unía el teléfono y el número de cuenta. Arturo Galán reunía todo lo que yo detesto: Soberbia, mediocridad e impostura —cuando lo dijo, el odio le iluminó las pecas. Uno de sus párpados tendía a cerrársele.

—Hace falta cuajo para representar a un tipo así. Le gusta tirar piedras contra su propio tejado...

—Usted lo llama cuajo pero sólo es profesionalidad, competencia coriácea. He soportado tantas estupideces y cabronadas que resultaría superfluo detallárselas ahora.

—No, no, adelante —dijo Nereida, espoleando el odio.

—Seré clara. El hijo de la gran puta, siempre que tenía oportunidad me ponía en evidencia. Aseguraba a los cuatro vientos que escribía para sí mismo, que carecía de aspiraciones mercantiles y que todo lo referido al mundanal reconocimiento le era ajeno. Que si se presentaba a concursos, se prestaba a la promoción y a las demás degradantes servidumbres de la profesión era por consejo mío. ¡Ya ve, echar así por tierra mi prestigio! El muy cabrón decía que lo hacía a su pesar y con gran cargo de conciencia. ¡Qué farsa! —remachó histérica. Sus ojos se le empañaron de sangre.

—No se acalore. No está bien hablar mal de los muertos.

—Me sabe mal, son demasiados agravios, demasiados vejámenes. Es mi tercera encarnación... Y a estas alturas de la migración del espíritu, esos desplantes escuecen mucho. Créame Nereida, la ingratitud es lo que más duele en esta vida. Me parte el alma. Para todos los escritores somos como sus ángeles de la guarda, como sus madres, excepto para él. ¡Hijo de puta!

La agente tomó un sorbo de su té frío y arrugó el ceño.

—¿Él conocía su malestar? —preguntó un atónito Nereida como si no la hubiera oído.

—Supongo que sí —y se encogió de hombros—, aunque ya no importa —añadió en un tono calculado, como liberada de su esclavitud.

Nereida miró fatigado hacia el amplio ventanal. Se distrajo con los trinos y gorjeos de las golondrinas y con las evoluciones de los vencejos que revoloteaban histéricos alrededor del edificio. El sol abandonaba las calles y el crepúsculo se adueñaba de la línea del cielo de Madrid. El día había sido muy largo y decidió dar por concluida su jornada laboral. Además de los efluvios del sándalo y las repetitivas notas musicales de sitars y banzuris que envolvían el ambiente e invitaban a la meditación, comenzaban a marearle aquellas gremiales y archisabidas confidencias literarias con entonación de predicadora. En uno de sus escasos paréntesis verbales, se despidió de Marcela Sumalavia esquivando una nueva tanda de quejas.

Ella le acompañó hasta la puerta cojeando ligeramente. Adivinó el pensamiento del inspector y dirigiendo la vista hacía el grueso tobillo, aclaró:

—Un esguince, Nereida. Mi *swing* deja mucho que desear y el golpe corto es lo que peor llevo. Pateas, pateas, ves que la pelotita no entra y te desesperas. Se lo digo yo, el *putt* es el golpe más peligroso. ¿Usted juega al golf?

El inspector dejó a Marcela Sumalavia con la palabra en la boca y salió de allí con dolor de cabeza y con otro sospechoso: Narciso Suances. Era fácil sumarle a la lista. Un negro siempre odia a su negrero y alberga motivos suficientes para vengarse y soltar amarras, razones suficientes para eliminarlo. Es su obligación, como la del preso intentar fugarse. Es como matar al padre.

Cuando salió del despacho, los chicos se habían ido y habían abandonado sus novelas sobre la mesa. ¿Qué misteriosa fuerza les arrastraría a seguir escribiendo, a continuar luchando y a soportar la humillación de tantas cartas de rechazo y tantas salas de espera? Se preguntó.

El inspector miró por la ventana. Por un momento pensó que pudieran haberse tirado por ella.

AQUELLA NOCHE EMERENCIANO NEREIDA TENÍA una noche de tango, atendió más a sus hormonas que a sus neuronas e hizo parada y fonda en el Templo de Venus. A pesar de sus esfuerzos por dejarlo, era incapaz de dormir sin el ligero sabor del whisky de malta y el turbio dulzor del carmín en sus labios. Flaquezas.

El puticlub tenía un decorado de *peplum*: cenefas con disolutas escenas de los lupanares de Pompeya, estatuas de Afrodita sin mutilar, columnas con capiteles corintios y divanes por doquier. Un atrezzo de cartón piedra iluminado por luces de colores tenues y focos ultravioleta que proporcionaban a los rincones un resplandor casi mitológico. En el centro del local había un escenario con una reluciente barra fija para las contorsiones y acrobacias de la peculiar clase de gimnasia rítmica que allí se impartía a partir de las doce de la noche. Una mesalina ligera de ropa hacía allí flexiones y ejercicios de calentamiento antes de comenzar su coreografía erótica y otra tañía con presteza las cuerdas de una lira. Seguramente, una procedía de las ruinas del ballet Bolshoi y la otra habría sido aventajada alumna de Rostropovich.

Dejó de pasear la mirada por allí cuando le dijeron que Nadia no estaba, que tenía la noche libre. Fue una mentira piadosa, en realidad, otro cliente había alquilado su cuerpo. El inspector se conformó con tomar unas copas, no tenía el día para más emociones fuertes. Reducida la actividad al trasiego continuo de consumiciones, su mesa, en la zona más oscura del local, pronto se convirtió en un confesionario. Se fue llenando de transpiración promiscua y perfume, de sonrisas, guiños, besos, caricias y copas que no recordaba haber pedido.

En aquel viscoso rincón, crisol de culturas y torre de babel, Nereida, amansado por el rumor de los arpegios de la cortesana y la desangelada iluminación, ejercía de sumo sacerdote escuchando con atención las cuitas de las prostitutas. Algunas trabajaban para mantener la adicción a la droga, otras para sufragar la estancia de sus hijos en selectos colegios de pago, y la mayoría, pobres inmigrantes en busca de una vida mejor. Ninguna estaba allí por vocación.

Se quejaban del ambiente y de la competencia callejera, y de que cada vez se topaban con menos intelectuales y más masocas. Tenían la lección bien aprendida. Todas trabajaban por su cuenta y riesgo y se definían cultas, inteligentes y simpáticas. Muchas soñaban con retirarse un día no muy lejano.

Nereida conocía perfectamente aquellas mafias y se avergonzaba de sí mismo, pero ya no tenía tiempo ni edad para retóricas de ligoteo ni para demorarse en la rebusca del sexo de jurisdicción voluntaria y, aunque echara de menos los besos con lengua, era consciente de que sólo podía abreviar el engorroso calvario de la seducción y estrechar aquellos cuerpos jóvenes y atractivos contra reembolso. Era un hombre cansado y desgastado por la vida, carente de unos cuantos prejuicios morales, aunque fiel a su manera. Sólo se encaprichaba de una prostituta y le cogía cariño. Aquella primavera era Nadia la que enjugaba sus heridas. Para Nereida las demás mujeres eran sólo anatomía, Nadia era algo más, mitología.

Miró la hora, la última copa le había sentado como un tiro, como si en vez de Chivas Regal la hubieran llenado de gasolina sin plomo, y pidió la cuenta. Debía concentrarse en el caso de Galán y, de seguir por aquel camino, al día siguiente podía tener un día de perros.

El camarero, desconocido esa noche para Nereida, era un tipo fibroso de modales amanerados y ojillos de lince. Tenía una nariz aguileña, patillas largas y finas, ligera perilla recortada de cuatro días sin afeitar y rapidez de reflejos. La factura se la trajo en una bandejita de plata, oculta en una cartulina doblada que imitaba un papiro romano. La cifra se elevaba lo suficiente como para derretir cualquier tarjeta de crédito.

—¿Me he bebido todo esto o lo he tirado? —preguntó contando los renglones de la lista.

—Las exuberantes señoritas que están a su alrededor cobran también por hacer compañía y dar palique. Mírese amigo, no debería quejarse —contestó pasándole la mano por el hombro, con la extraña familiaridad que da la noche.

El tipo se expresaba con economía y gracejo, y tenía una extraña manera de pronunciar la palabra «amigo».

Dejaba las frases a medias y las dotaba de una entonación especialmente cínica, a juego con sus constantes muecas. Aún no lo sabía, pero esa manera de hablar podía arruinarle la noche. A Nereida, nunca le habían caído bien ese tipo de graciosillos.

—Me temo que estás chicas no están registradas en las listas del INEM —dijo bronco.

—Vamos, ya tenemos suficientes parados. ¿No cree?

—¿Tienen permiso de residencia?

—Lo ha podido comprobar, amigo. Estas señoritas tienen mucho calor. Van tan ligeras de ropa que no pueden llevar la documentación encima. Si hubiera subido con alguna a su habitación seguro que se lo habría enseñado...

Harto de los gestos y las gracias del camarero. Nereida hizo una excepción, le enfrentó los ojos y se identificó. Apenas tuvo que mostrar la placa. En aquel momento su vozarrón y su aspecto imponían lo suficiente como para que el chulo no se atreviera ni a mirarla. Posiblemente también intuyera el bulto de la pistola que se advertía bajo el sobaco.

—¿Supongo que... existe una forma civilizada de arreglar este malentendido..., inspector? —preguntó el camarero repentinamente tartamudo.

—Puede ser.

—¿Qué le pongo? No ha tomado nada esta noche —farfulló con una voz que ya no le llegaba ni al cuello de la camisa.

Nereida rehusó la última invitación y le dedicó una mirada gélida que rebajó a treinta y tres grados su temperatura corporal. A pesar de la negativa, el barman agarró una botella de Glenlivet, alejada de la repisa del garrafón reservado para los clientes, y llenó generosamente una copa. El inspector la rechazó con un gesto desdeñoso. El whisky se lo tomó el azorado camarero para recuperarse de la anestesia. Lo liquidó de un trago.

AL DÍA SIGUIENTE, NEREIDA TENÍA LA CABEZA COMO si allí se hubiera celebrado un campeonato de billar a tres bandas. Cuando se levantó, aún resonaban las carambolas.

Desayunó con más premura de la habitual y triplicó su dosis de ulceral. Aquella mañana no permitió que la pucelana le adivinara el porvenir. Había citado a Alicia López, la sospechosa más importante del asesinato del escritor y no debía perder el tiempo en absurdas nigromancias.

Alicia acudió puntual y desastrada, refugiada tras unas enormes gafas negras y envuelta en un perfume demasiado penetrante. El inspector ventiló la oficina entornando ligeramente la ventana, se sentó en su desgastado sillón con abandono resacoso y no forzó el interrogatorio. Fiel a su instinto, intentó que la declaración discurriera lo menos policial posible. Para sonsacarle su verdad, procuró ser amable y apenas tomó notas. Con pericia profesional mezcló preguntas neutras con otras relevantes, y le permitió demasiadas pausas y silencios. Se trataba de hablar poco y escuchar mucho.

A pesar de la benévola actitud del policía, ella se mostró desconfiada y apática. Nereida comenzaba a impacientarse por la falta de colaboración y le ordenó que se quitara las gafas. Ella obedeció a regañadientes y se las colocó sobre el cabello despeinado a guisa de diadema. Tenía unas ojeras profundas y amoratadas que resaltaban la desgracia de sus ojos azules y estaba tan pálida como un cadáver, como si ella también hubiera pasado una mala noche. Tampoco le permitió fumar, quizá eso aumentó su desasosiego.

Sonaron once campanadas en el reloj más famoso de Madrid. Alicia miró distraída por la ventana, más atenta a lo que ocurría en el kilómetro cero que a la batería de preguntas que le lanzaba el policía.

Apenas recordaba lo sucedido y sólo manifestaba tener pesadillas y terrores nocturnos. Estaba desorientada y recelosa, y sus dedos crispados, con las uñas mordidas, no paraban de tocar los bolígrafos apiñados sobre la mesa. En su mano derecha llevaba sólo una sortija y un montón de pulseras doradas mezcladas con otras desteñidas de cuero vendaba su muñeca. La mano izquierda la tenía tatuada con unos arabescos que trepaban hasta el antebrazo y concluían quebrando una especie de corazón que goteaba sangre y enmarcaba el nombre de Arturo.

El inspector le requirió respuestas concretas sobre la violación denunciada y sobre el asesinato de Galán. Entonces ella prorrumpió en un gimoteo espasmódico y se le llenaron los ojos de lágrimas. Cuando escampó, con los ojos enrojecidos aún por el llanto y el crónico insomnio, se levantó como en trance y dio unas cuantas vueltas por el despacho con una lasitud sonámbula, mirando a todos los lados y a ninguno. Cuando su vulnerable mirada se cruzó con la del policía desgranó con un hilo de voz nasal su desdichada historia y empezó a desbarrar, riendo a ráfagas y parpadeando con una fuerza neurótica.

La sala se entristeció con el eco de aquella narración atribulada. Era una declaración terrible, sin escrúpulos, salpicada de silencios con significados ocultos y aliñada con nuevos lagrimeos y alguna extemporánea carcajada, propia de sus desvaríos. Llegados al capítulo del asesinato del escritor, la chica miró a Nereida con unos ojos inexpresivos y ausentes, como barnizados con una lentilla ahumada, y acabó enredándose en opiniones literarias, insensateces filosóficas y frívolos disparates. Sacó del bolso un abanico y comenzó a batirlo con estilo. Se mordía continuamente los labios y murmuraba palabras extrañas sobre los personajes de la última novela de Galán, evocando acelerada las andanzas de la protagonista que, según decía, estaba inspirada en ella. Lo hacía como si en esas páginas estuviera la clave de su asesinato, como si aquellas tramas escondieran mensajes subliminales que sólo ella podía traducir.

Un abejorro se coló por la ventana del despacho e interrumpió por un momento la declaración. Alicia le abanicó con fuerza para facilitarle el plan de fuga y le sobrevino una risa floja. Su respiración se agitó y sus arrítmicos latidos se hicieron perceptibles sin necesidad de fonendoscopio. Parecía que le dominase la euforia y la angustia a partes iguales. Gesticulaba demasiado. Nereida comprendió de inmediato que aquella mujer estaba completamente enajenada, loca de atar, pero su instinto policial, casi sin margen de error, le eximía del asesinato del escritor.

En su último libro, *Polvo enamorado* Galán había sacado a relucir las miserias y penalidades de una prostituta de lujo. Un cursi y lacrimógeno relato que había satisfecho con creces las expectativas de sus fieles lectoras. En él, no faltaban los típicos ingredientes de su prosa: monjas que cuestionaban su fe, jóvenes que cuestionaban su sexo, maridos que cuestionaban su matrimonio y chulos que no necesitaban hacerse preguntas. El inspector recordó que, según su agente literaria, si ese galimatías tenía algún valor era gracias a la intervención del negro, un pobre diablo llamado Narciso Suances.

Lo cierto es que identificada obsesivamente con la protagonista y entusiasmada hasta la neurosis con la novela, Alicia había ideado una psicópata relación íntima con el escritor y lo había perseguido con denuedo por todo el recinto de la Feria del Libro.

Galán, a pesar de que había jurado y perjurado que nunca más volvería a venderse en el parque del Retiro, a exponerse como una puta holandesa en aquella prosaica y envilecedora feria de cifras y letras, era capaz de firmar hasta en la guía telefónica. Aguantó durante cuatro días el humillante habitáculo, el bochorno y la uralita, y soportó con estoicismo los distorsionados altavoces, la agotadora muchedumbre y el sofocante calor, tolerando con la mejor de sus sonrisas el manoseo de sus libros, las escrutadoras miradas y la estúpida conversación con los lectores. Todos ellos del segmento de los que sólo leen un libro al año. El suyo.

Alicia, obsesionada por el personaje, acosó a Galán de tal manera que, antes de que el escritor se dignara a dedicarle el libro con la mejor de sus sonrisas y la consabida frase original, el servicio de seguridad de la Feria tuvo que desalojarla de allí con cajas destempladas.

Varada en su estanque de divagaciones, el Inspector la rescató del naufragio mental con una orden firme.

—¡Déjese de rodeos! No me interesan sus obsesiones. ¿Hablo claro?

Ella asintió y empezó a narrar lo de la cita en el hotel de lujo y el viaje a ninguna parte con el Jaguar granate por los alrededores de Madrid, describiéndole al detalle los aspectos más escabrosos de las repetidas violaciones sufridas en el asiento trasero.

El inspector zanjó definitivamente aquel dislate y puso las cartas boca arriba, revelándole que las pruebas de ADN exculpaban a Galán de la agresión sexual.

Entonces guardó unos interminables segundos de silencio y se le descompuso el rostro. Miró con un brillo húmedo a Nereida y reconoció por fin con una voz cansina que la violación nunca había tenido lugar. Atascada de mocos y llantos, admitió que su acusación estaba teñida de venganza, que sólo se había tratado de una cruel simulación tras un agitado servicio con un cliente. Se aireó con el abanicó y pareció calmarse, pidió agua y encendió un cigarrillo sin permiso, luego recuperó el tono engolado y se retractó de la denuncia, eso sí, jurando a Nereida que, aunque le odiaba a muerte, ella no había asesinado a Arturo Galán.

Alicia no parecía consciente de ello, pero una chispa de alivio refulgió en sus ojos cuando lo hizo. Se levantó de nuevo, se colocó las gafas negras y recorrió la oficina en dos zancadas nerviosas. El inspector se fijó en sus delgadísimas piernas y en su esbelta figura, aún más ingrávida tras el peso que se había quitado de encima.

Además, tenía una excelente coartada. El día de autos había estado en el programa *Esto es vida* del Canal 69 de televisión contando su azarosa existencia a millones de espectadores, disfrutando de los particulares minutos de gloria que Andy Warhol prometía a todo el mundo.

El inspector comprobó aquella coartada con una simple llamada telefónica, pero ordenó su detención y puesta a disposición judicial por denuncia falsa y simulación de delito.

Lástima. Nereida se había quedado sin su mejor sospechosa. Estaba otra vez en el kilómetro cero.

A PESAR DE QUE LA TINTA DE LA ESQUELA DE ARTURO Galán aún estaba fresca en los periódicos, los medios de comunicación, más acostumbrados a la noticia inmediata, a la alarma social y al morbo, pronto relegaron el asunto a sus páginas impares. El caso del asesinato del escritor se había congelado y su investigación estaba ahora en punto muerto. Los análisis forenses no habían detectado nada relevante, el móvil no estaba definido y la turbiedad de la doble vida del escritor podría derivar la investigación hacia los fondos más bajos y venéreos de Madrid. Un laberinto idóneo para archivar el sumario

Nereida aún tenía otro sospechoso en su lista: Narciso Suances. Todo esclavo ansía liberarse algún día y sueña con matar a su negrero.

El deportivo rojo no estaba acostumbrado a las velocidades de callejuela, así que Nereida llegó como pudo al Hostal Carlos II, una fonda de mala muerte situada en los suburbios del centro de Madrid. Antes tuvo que atravesar una ciudad llena de heridas, unas calles permanentemente en el quirófano, y forzar los frenos de su Toyota por aquellos andurriales salpicados de zanjas, socavones y chirimbolos.

Un cartel azul tachonado por el óxido anunciaba el establecimiento. El sol pegaba de lo lindo, Nereida hizo visera con la mano para cerciorarse de su destino. La corroída hojalata permitía a duras penas descubrir el ordinal del rey en cuestión que daba empaque al hospedaje. El rótulo parecía coronado con la categoría de una estrella. Observando el aspecto de la descascarillada fachada e imaginando lo que reservaba el inmueble en su interior, el policía pensó que aquella estrella no sería más que otro desconchón.

A falta de aldaba, el periquito era algo así como el timbre de la entrada. Picoteaba el alpiste y revoloteaba nervioso por el exiguo espacio aéreo de su jaula. El pobre se balanceaba en un columpio más rebozado de mierda que el palo de un gallinero. Cuando el policía apareció por el umbral de la puerta, intensificó sus cabriolas y sus chillidos. Era tal su incesante actividad y su aceleración claustrofóbica que parecía autolesionarse contra los barrotes.

La atmósfera allí parecía de una composición distinta, como oxidada, tan cargada y transeúnte como un viejo bar de estación de ferrocarril. El inspector paseó su mirada por aquel antro churrigueresco repleto de iconos de la España cañí y se detuvo un instante en el cartel taurino. Nereida se emocionó, nunca había olvidado aquella corrida del año 74 ni la faena de Paco Camino al sobrero del Jaral de la Mira. Atravesó la huérfana recepción y se adentró hacia la habitación de donde procedían las voces humanas. La sala era asaz umbría. Sólo tenía un ventanuco al exterior y en el techo parpadeaba un fluorescente. Una ratonera. Bajo una colección de grabados de oscuros y grasientos bodegones, alrededor de una mesa ovalada cubierta con un hule desgastado de cuadros rojos, unos desastrados comensales daban cuenta de lo que parecía una ensalada de garbanzos con berza, que quizá hubiera parecido más apetecible si la vajilla de duralex se limpiara con más frecuencia que la jaula del periquito. Parecía más agradable alimentarse por vía intravenosa.

Una mosca zumbona le dio la bienvenida con una exhibición de vuelo rasante, luego se posó sobre el borde de la jarra de un vino tinto trasegado del tetrabrik, sin que nadie de aquel corrillo de ociosos hiciera mucho esfuerzo en espantarla.

Más que el feísmo, en aquella pensión parecía cultivarse el tremendismo. Nereida tenía la sensación de haberse colado en el rodaje de una película negra de Luis Buñuel. Incluso miró instintivamente hacia atrás como si a su espalda le estuvieran observando desde un fantasmagórico patio de butacas. No era precisamente el halcón maltés. Los chasquidos y aspavientos sólo los hacía el periquito.

El aire allí no parecía renovarse a menudo y le devolvió de sopetón a la realidad. Llegaban tufos de cloaca y ráfagas de un bochorno hediondo compuesto de olores fecales, aguarrás, perfume barato y refritos de cocina. Olía también a alpiste acorcojado. Por fortuna, Nereida estaba un poco resfriado. A pesar de ello, su castigado olfato no se acostumbraba a aquel ambiente tan cargado y canalla, y parecía desconectar su funcionamiento orgánico. El oxígeno era distinto y se ahogaba. La composición de aquella atmósfera malsana se asemejaba, con toda seguridad, a la de Marte. Por un momento pensó que si sellaran esa habitación nadie saldría con vida de allí. Aquel tufo era infame e inflamable. A pesar de todo, arriesgando su vida, Nereida encendió un puro habano con la intención de neutralizar aquel hedor nauseabundo.

El inspector hizo inventario de los allí reunidos. Desde luego, la mesa era tan pintoresca como el hostal. La rodeaba un muestrario de tipos raros, unos personajes atrabiliarios rescatados del esperpento del callejón del Gato, más propio de un olvidado Madrid castizo.

Fausto, vestido con un traje ajado y brillante más antiguo que el cartel de toros del recibidor, con el pelo terso y engominado y el porte pretendidamente atildado, escuchaba atento a un tipo parlanchín y escuchimizado, con nariz varicosa y ojos saltones, y un parecido extraordinario a Peter Lorre. El charlatán llevaba sombrero canotier, un chaleco marrón del año catapún del que asomaba la cadena ennegrecida de un reloj y, a pesar del calor, la camisa abotonada hasta el cuello. Le torturaba con una cháchara incesante sobre la preferencia de tal o cual colchón, que aliñaba con fantasmales experiencias personales sobre la probatura de muelles y texturas.

Desde su incursión en el mundo de la publicidad, al viejo Fausto costaba reconocerlo. Incluso el colchonero le preguntó por él cuando llegó a la pensión, confundiéndole con un familiar. Enjaretado en el ojal de su chaqueta llevaba un clavel reventón y un pañuelo blanco desbordaba su bolsillo. Parecía como si el fantasma de Carlos Gardel se hubiera reencarnado en el viejo. Aunque su atuendo seguía siendo anticuado y grotesco, su piel ostentaba un brillo bronceado y ya no tenía la mandíbula remetida ni la boca desdentada. Eso sí, la dentadura postiza le convertía en el oyente perfecto del trujimán pues, aunque soportara aquella tabarra sin hacerle el menor caso, le forzaba un rictus inevitablemente amable. Hasta los bostezos de hastío parecían sonrisas.

Enfrente de ellos estaba Narciso Suances, un joven avejentado y ojeroso con el rostro descolorido por la claustrofobia de aquel antro sin luz ni ventilación, una palidez que contrastaba con su vida social y su vestimenta. Iba ataviado con una camiseta negra con la bandera pirata y la leyenda, Ángel del infierno. Apuntaba en un trozo de papel los pormenores de las experiencias sexuales que, sin cortarse un pelo, cruzaban Elisa y Pandora, de mujer a mujer. Una técnica conversación de alcoba sobre psicología, posturas, sodomías, felaciones, orgasmos múltiples, control del tiempo, marcas de condones y vaselinas, con la que el chico se documentaba para sus relatos. Ciertamente, se le veía demacrado, tenía los párpados hinchados y el pulso tembloroso; inequívocos síntomas de una tremenda resaca.

A su vera, Carlos Vivales se mostraba impasible, con una corbata prolija en colores fosforescentes anudada a la altura del pecho, se atiborraba de garbanzos ensimismado en la lectura de un periódico deportivo.

La televisión, sin escatimar volumen, castigaba los oídos con su griterío tosco y caótico, y se sumaba a aquel conciliábulo de retórica delirante. En un rincón, un ventilador repartía el aire irrespirable por todo el comedor, provocando casi el vómito.

El inspector se identificó y preguntó por Narciso Suances. La patrona que entraba y salía de aquel comedor con su cara avinagrada y un delantal arlequinado de lamparones recibió con desconfianza la visita y, resabiada, salió bufando de allí.

Antes de que Narciso contestara, el viejo Fausto inquirió directamente al policía si el chico había cometido algún delito.

—Con la venia, inspector, si se le acusa de algo, debe permitirle al menos que le asesore su abogado, el licenciado don Carlos Vivales, aquí presente. ¡Déle bola, doctor! —anunció don Fausto, rizándose el bigote, quijotesco, con un tono aparatoso.

—Sólo deseo hacerle algunas preguntas sobre el asesinato de Arturo Galán —respondió seco. Aún así preguntó a Vivales si ejercía de abogado del chico.

—¿Cuál es su especialidad?

—Un poco de todo. Sólo sé que si preguntan mucho es que no tienen pruebas —contestó evasivo. Y continuó a lo suyo, agazapado en su silla, haciendo como que leía el periódico deportivo, evitando con disimulo implicarse en engorrosos asuntos con inspectores de policía.

—Ya las habrá. ¿Es usted Narciso Suances? —preguntó a bocajarro al joven.

El chico pelirrojo, frenó su bolígrafo, alzó los ojos de entre los escombros de la borrachera y asintió a Nereida.

—¿Conocía al escritor?

—Claro, ¿quién no? Digamos que trabajaba para él —contestó rumiando los garbanzos con la voz tomada.

—¿Trabajaba...?

—Vamos, Marlowe... No se haga el tonto, supongo que ya lo sabe. Era una celebridad, pero a veces necesitaba de mi ayuda. ¿Acaso viene a detenerme por asociación de malhechores? ¿No me diga que se me acusa de su asesinato?

—Aún no. Por el momento no es más que un sondeo. ¿Cuándo fue la última vez que se vieron?

—Nunca nos conocimos. Nuestra relación era, pudiéramos decir, espiritual. Mi colaboración con él era canalizada por su vicaria o, mejor dicho, sicaria, Marcela Sumalavia, su agente literaria —contestó esquivo.

—¿Dónde estuvo la tarde del día veintitrés de junio?

La pregunta provocó un silencio largo y espeso.

—Conmigo

—Cunmigu —respondieron al unísono una voz masculina amanerada con afectación tropical y otra femenina con ritmo carioca.

—Con nosotras dos —improvisó sobre la marcha el vozarrón de Pandora, con un timbre fingidamente atiplado que la sobredosis de estrógenos no había logrado feminizar.

—Estuvimus faziendo un quadro —añadió Elisa en un forzado castellano, haciendo esparavanes.

—¿Pintan? —preguntó el inspector

—Monas —respondió el travesti con su voz cascada en tono de chunga.

—¿Qué...?

—¿Está huevón? —preguntó envalentonada— nos montamos un ajetreo, un cuadro, un trío. ¿Le damos detalles? Una experiencia chévere —añadió dedicándole un guiño pícaro.

La solidaridad reinante en aquel sucio comedor insufló un halo de emotividad a la atmósfera. Narciso se ruborizó ligeramente y bajo los ojos. La sonrisa satisfecha estiró la cara de Pandora. El maquillaje se le había corrido y, a pesar de que iba tan pintada como un actor del teatro kabuki, los granos de su rostro brillaron casi tanto como los oleaginosos garbanzos del plato. Batió con fuerza sus pestañas postizas y añadió, intercalando exabruptos en una extraña jerga colombiana, un par de comentarios despectivos sobre el Cuerpo Nacional de Policía que al inspector, hacía tiempo vacunado contra el corporativismo y recordando a tipos como el teniente Ramírez, no le parecieron demasiado injuriosos. Hizo la vista gorda y no se dio por aludido, pero aún así, le advirtió con autoridad:

—¡Basta de chanza! Otro comentario así y te empapelo. ¡Mutis! —exclamó el inspector, dando un manotazo en la mesa.

—Como don Álvaro. ¡Sacagüey! —contestó Pandora haciendo el gesto de cerrar la cremallera de sus labios.

—¡Sosiego! Sosiego. Esto no es un vulgar boliche. Un poco de serenidad. Disculpe la actitud canchera y los tropicales impulsos de mi dilecta amiga María Pandora, una garufera que aún no se ha adaptado a nuestras ordenadas costumbres. Tampoco hay que sacar las cosas de quicio, no se haga mala sangre. Es lógico que atesore una natural antipatía hacia la cana, las Fuerzas del Orden —tradujo— Hágase cargo, comprenda usted que se trata de una chabona sin papeles que pronto va a ser expulsada de España. Un auténtico drama, inspector —explicó el abuelo, con el desparpajo del licenciado Vidriera y la mejor de sus sonrisas, desconcertando aún más al atónito Nereida. Aún conservaba dotes de actor.

—No hace falta que saque la cara por este transformista indocumentado, abuelo. A su edad, no se meta en líos.

—Pierda cuidado.

El que se parecía a Peter Lorre, pendiente de todos los detalles, no daba crédito a lo que allí estaba oyendo, cabeceaba y derrochaba gestos de asombro; todo un repertorio de tics que su sistema parasimpático ponía en marcha cada vez que una situación le ponía nervioso. Y ésta lo estaba haciendo en exceso. Parecía que pasara todas las señas del mus a la vez. Se quitó el sombrero, se bebió de un trago la jarra de vino peleón y miró asombrado a toda la concurrencia con sus ojos desorbitados.

—¿Gusta? —preguntó al inspector, señalándole el cartón de vino.

—No gracias —espetó desabrido Nereida.

En todos sus años de charlatán, el representante de colchones no había vivido cosa igual. Enmarañado en sus incontrolables muecas, emitió un fuerte resoplido que hizo tinitinear los larguísimos pendientes de Elisa y casi deshoja el clavel del abuelo. Tras el regüeldo, la estupefacción se le somatizó en un molestísimo ataque de hipo que intentaba contener como quien espanta una mosca cojonera.

El televisor, como un *deus ex machina*, alteraba su volumen e interrumpía continuamente el interrogatorio con un debate de besugos sobre la imperiosa necesidad de cobrar una tasa municipal a los perros y demás mascotas urbanas que derivó en una reyerta sobre la prohibición del putiferio de la Casa de Campo. Los canales se cambiaban por ensalmo e iban con velocidad de crucero del porno a los dibujos animados, de la publicidad a los informativos. El sexto sentido de la patrona le había alejado del comedor pero seguramente estaba manipulando el aparato con el mando a distancia en la retaguardia. Si Virgilio acompañase a Dante por aquella programación tendría que corregir su descenso a los infiernos de la *Divina Comedia*.

Aquel vocerío audiovisual acompañado del murmullo de las palomas procedente del patio, las toses compulsivas del viejo, los exabruptos tropicales del travesti, el zumbido de las moscas que vagaban entre los platos de la mesa y el hipo del charlatán hacía insostenible cualquier diálogo. Para colmo, al socaire de la algarada, el maldito periquito no paraba de chillar.

Nereida denotó un enrarecido ambiente de motín y lanzó una mirada profesional a Narciso Suances que estaba impresionado ante aquella conmovedora muestra de afecto, duplicando de paso en su cerebelo aquella lúbrica coartada que, lamentablemente para su onanista sexualidad, nunca había llegado a suceder. Pero siguió la corriente a sus atrevidas amigas y, excitado por la enredada imagen que se le figuraba en su mente calenturienta, añadió en un tono lleno de ambigüedad:

—Ya ve, la noche de San Juan estuve saltando otro tipo de hogueras, inspector. Soy bisexual. Adicto a la televisión y al sexo.

La verdad es que lo de la televisión no venía a cuento, pero en fin, al chico le salió del alma. El viejo también ratificó la coartada y dijo que aquella tarde había oído elocuentes ruidos en la habitación de María Pandora que sin duda se correspondían con la venérea acuarela que habían descrito. Esta vez Nereida no se paró a analizar quien de todos mentía peor.

—¡Aviso a navegantes! —exclamó el inspector sin ocultar su enfado—. El chico puede optar por el no sabe no contesta y mentir lo que le venga en gana, pero huelga advertirles que no está el horno para bollos... señoritas —hizo el típico gesto de desdén al calificarlas así, y agregó—, esto va en serio. Estamos hablando de un asesinato, y el encubrimiento de esta clase de delitos está severamente penado por el Código penal. ¿Verdad, abogado?

—Diga usted que sí, inspector, un asunto muy feo —corroboró Vivales inclinando levemente la cerviz, temeroso de que toda aquella simulada armadura de abogado se le viniera abajo en algún inoportuno lance.

—¿Puedo echar un vistazo a su habitación? —preguntó al pelirrojo.

El chico hizo como que no escuchaba. Guardó silencio unos interminables segundos, levantó las cejas y preguntó con una mueca hosca.

—¿Trae orden de registro?

—Deja de ver tanto la televisión, cuando venga con ella traeré también las esposas, la lista con tus derechos y el programa de actividades en Soto del Real. Hoy considéralo sólo una visita de cortesía.

Persuadido más que por aquellos argumentos por el gesto glacial del policía, Narciso engulló una última cuchara de garbanzos, se levanto y, con las manos en los bolsillos, le condujo a su habitación.

El humo del Montecristo no aminoraba lo suficiente el olor a humanidad del cuarto, así que Nereida inició el registro conteniendo la actividad respiratoria y casi a tientas. Botellas amontonadas por los rincones, ropa arrebujada sembrada por todo el cuarto, libros apilados por el suelo emulando el *skyline* de Manhattan y papeles por doquier.

—¿Sabe algo de unas bolas chinas?

—¿Por quién me ha tomado?

—No te ofendas, eran unas bolas metálicas que usaba Galán para relajarse. Desaparecieron el día del crimen.

—Yo sólo compartía sus cuentos chinos. No se nada de bolas.

Concluida la inspección ocular en aquella pocilga, que de hacerla más concienzuda hubiera necesitado de mascarilla, el policía desandó sus pasos y volvió con el chico al comedor. Vivales simulaba estar con la cabeza en otro lado y el charlatán parecía haberla perdido y tamborileaba en la mesa como un virtuoso de la percusión. Pandora seguía de palique con el viejo Fausto, evocando sus tribulaciones colombianas.

—Sabe papito, llevo unos días chateándome con un carajito requetedivino. Me llama la reina del ciberespacio.

—Esas no son formas de cónocerse, María Pandora, hay mucho degenerado por ahí suelto.

—Ay, papito, es la vaina esa que llaman soledad. Aún no sé por qué maldita pendejada empaqué mis cosas y me vine para España. Aquí en Madrid, a pesar de las plumas y el oropel, nadita de nada. Antes sí. Yo era el hembrito más chévere de Bogotá, la reina de los bares de la sesenta y ocho y del Parque Nacional. Era una loquita pavorosa muy solicitada, una perra arrechísima a la que le gustaba levantarse los gatitos callejeros más rebuenos de Chapinero Alto. Para que se haga una idea, papito, el Parque Nacional de Bogotá es un vergel gay. El paraíso. Entre los troncos de los eucaliptos y los abedules se mimetizan a las mil maravillas las pingas y las almas pecadoras de los carajitos más divinos que una se pueda imaginar. A mí me encantaba ir a la luz de la luna a probar culebritos, pero la policía me hacía la vida imposible. Una noche me violaron cinco aguacates. Como lo oye. Yo intenté huir monte abajo pero los muy pendejos iban a caballo. Me molieron a golpes y me hicieron mil y un ultrajes contra un árbol. ¡Qué hijueputa es la vida!

A pesar de la enorme dentadura postiza, el abuelo esbozó una mueca de compunción. Antes de ofrecer al travesti unas palabras de ánimo, seguramente oídas en un tango, Nereida le interrumpió. Dio unas cuantas chupadas al puro antes de hablar.

—Su cara me es familiar, abuelo. ¿Nos conocemos de algo?

—Soy hombre de orden. Quizá me haya visto en televisión, anuncio una bebida gaseosa.

La patrona entraba y salía del comedor muy digna, entonando a voz en grito su repertorio de coplas.

—¡Y usted, cállese y apague la tele, coño! —espetó el policía.

A pesar de la escasa colaboración de los presentes, Nereida lanzó una mirada fraterna a la mesa de la que nadie se percató. Harto de ver follar a las moscas, decidió que era hora de irse. Aunque en el fondo sentía cierta simpatía por esos atrabiliarios perdedores, una solidaria comprensión por todos los parias de la tierra, nunca le había gustado el vino peleón. Además, de aquel patio de Monipodio tampoco iba a sacar nada en claro. Era una jaula de grillos.

Pese a que le arropase aquella chusma, el chico no tenía precisamente una buena coartada, esa escaramuza sexual no se sostenía en pie. Sus costumbres no podían considerarse precisamente saludables, pero no parecía un criminal sanguinario, sus ojos no tenían el brillo asesino que había conocido Nereida en sus años de servicio. Sí, es posible que tuviera sobrados motivos para matar al escritor, pero también los tenía para no hacerlo. Con la muerte de Galán se le acababan las lentejas.

Antes de salir, le anticipó al pelirrojo que se anduviera con ojo, que no echara las campanas al vuelo y que a su debido momento recibiría una citación oficial para recibirle declaración formal en la Comisaría.

—¡Con Dios! —le dijo Pandora desabrida a guisa de despedida entre los chillidos del periquito, que al cruzar la puerta le puso perdido de alpiste.

FAUSTO BANDARRA ACUDÍA CON PUNTUALIDAD británica a su cita diaria en las oficinas de Sanilife del Paseo de la Castellana. Allí recogía el orden del día y se sometía a todo tipo de perrerías publicitarias a cambio de su, cada vez más elevada, dosis de cocaína. No había pasado mucho tiempo desde el inicio de la campaña de lanzamiento pero su herida ya era profunda. Se había convertido en un adicto.

Con el brío domesticado y las defensas neuronales mermadas, el centrifugado cerebral de los hombres de Sanilife había dado sus frutos. Debidamente amaestrado y con la rebeldía esterilizada con la coca, el abuelo se había ido metiendo gradualmente en la piel del personaje y había asumido el papel con una versatilidad enfermiza.

Hablaba convencido y eufórico de aquel bebedizo, con el entusiasmo y la suficiencia de un converso. Enterrada su vida disoluta y adiestrado al efecto con depurada técnica patronal, posaba obediente para los montajes fotográficos de las revistas del corazón, grababa las cuñas de los mensajes radiofónicos en un pretendido tono convincente y ensayaba con aplicación los discursos que pronunciaba en las residencias de ancianos más elitistas de la ciudad, respetando especialmente las acotaciones señaladas por los expertos en empatía de la empresa: sonrisa pícara, pausa de tres segundos, voz enérgica, palmas de la mano hacia arriba, punta de la patilla de las gafas en la boca... *A vida o muerte con Mefisto Tu última oportunidad*. El abuelo repetía la cantinela con regocijo, sin queja alguna y, a pesar de la dentadura dos tallas mayor, con la mejor de sus sonrisas.

Y es que la dentadura del viejo además de postiza parecía prestada, le venía grande y le dotaba de un mentón excesivo. Hoy se hacen tan bien que hasta se pican de caries, pero aquélla era de saldo, como de segunda mano. Esa holgada prótesis le tensaba los labios y le procuraba un patético rictus de sonrisa burlona que no cuadraba demasiado con su persuasivo discurso. Con aquellos labios finos y estirados, y la mandíbula colgando por el peso inadecuado, al hablar parecía el muñeco de un ventrílocuo. Pero a los mejicanos, en realidad, les traía sin cuidado aquella imagen.

La coca justificaba toda clase de sacrificios. La fama también. Aunque al principio no le gustaba que la gente le reconociera por la calle, pronto se acostumbró a repartir sonrisas, a firmar autógrafos y a recibir miradas de reconocimiento.

Pero un día ya no volvió a ver al vasco de la cabeza rapada ni al mejicano que se parecía a Pancho Villa.

La portera fregaba el portal con oído fino y ojo avizor, más atenta a todo lo que por aquella puerta desfilara que a las pisoteadas baldosas. Aquella calurosa mañana, antes de que Fausto atravesara el umbral del portal y abriera la boca para desearle un buen día, escurrió la fregona con un enérgico remolino y le dijo:

—Se han ido. Un camión de mudanzas se lo ha llevado todo esta mañana y ya no queda nadie allí.

Fausto, alarmado, prescindió del ascensor y subió las escaleras a latigazos, sorteando los escalones de dos en dos llegó a la sede social de Sanilife descompuesto y con las sienes al galope.

Efectivamente, la oficina estaba desmantelada, casi a oscuras. Un tercer hombre entró en escena. Estaba sentado en medio de la estancia, erguido como un pianista y oculto tras unas enormes gafas negras. Llevaba un traje de lino color hueso muy arrugado con un pañuelo negro desbordando el bolsillo y tenía un aspecto sombrío. Un viejo perro pastor, apenas visible en la penumbra, estaba recostado a su lado. No levantó ni siquiera la cabeza cuando irrumpió el abuelo.

—Parece fatigado, Fausto. Siéntese, le estaba esperando.

La persiana veneciana estaba casi entornada, rayaba finos trazos de luz que se reflejaban en el rostro de aquel hombre como si fueran arañazos. Tenía una voz opaca, sin inflexiones, y hablaba con un sosiego pastoral. Le apretó la mano con demasiada fuerza y con el empeine del zapato le arrastró un pequeño taburete que más parecía un alzapié. El viejo se sentó como pudo, buscando la mejor manera de acomodar sus piernas cansadas. Pero en aquel asiento era imposible mantener el tipo ni la dignidad.

—Tengo una mala noticia que darle. Verá, Fausto, no podemos permitirnos más alegrías, tenemos que prescindir de sus servicios. La campaña de Mefisto ha concluido —dijo tajante.

El abuelo se desmoronó. El tiempo entonces pareció detenerse. Se hizo un silencio demasiado denso, un silencio que rebotaba como una pelota en aquellas paredes vacías y que permitía oír con nitidez el corazón del viejo latiendo a cientos de pulsaciones por minuto.

—¿Es un chichoneo, una broma, no? No es posible, todo el mundo confía en mí, usted lo sabe... Hacemos feliz a mucha gente.... —balbuceó atónito el pobre Fausto, luchando por dominar su desconcierto y removiéndose incómodo en aquel pequeño taburete. Su voz le temblaba y una presión dolorosa en el fondo de los ojos le impedía llorar.

—No se haga el tonto, Fausto. No se ofusque con este asunto ni haga más el ridículo. No invoque razones mercantiles por favor. El mercado siempre ofrece frustración, debería saberlo. Se basa en el consumo y el consumo en la insatisfacción de la gente. Todos lo saben, todo es persuasión y manipulación, lucro a cualquier precio. *Omnis mercator, mendax*. ¿No me diga que un carcamal como usted se había acabado creyendo esa milonga de la eterna juventud, del vigor y la felicidad de Mefisto?, ¿de veras pensaba que ese bebistrajo tenía algún efecto? ¡Coño! Fausto, por dios, ya es usted mayorcito... —envolvió la última frase con un soniquete neutro de sacristán, como aburrido por la evidencia.

—Yo sabía que era una changa, un trabajo temporal, pero...

El tipo iba al grano y no daba palos de ciego. Sus cejas batían con fuerza, esquivando unos ojos que no parecían ver, sino intuir. Interrumpió el incoherente balbuceo del abuelo y le extendió un sobre no demasiado abultado. Fausto dudó un instante.

—Acéptelo. Son quinientos euros. Considérelo el finiquito. A caballo regalado...

—Pero...

—Esto no es una oenegé, es una empresa. Hemos tenido que descontar sus gastos de dentadura, renovación estética, estimulantes... Ya no le debemos nada. A fin de cuentas, cuando le conocimos, usted no era más que un desecho. Olvídese de Mefisto, y de la coca.

Su tono era neutro pero gesticulaba mucho y enfatizaba sus palabras batiendo sus manazas con fuerza. Harto de circunloquios, el tercer hombre sostuvo la mirada opaca de sus gafas negras lo suficiente para que el viejo se diera cuenta de que aquello iba en serio. Fausto no parecía prestar mucha atención y escuchaba aquel cínico discurso con los ojos empañados y las piernas encogidas. En aquellas gafas sólo veía el reflejo de su desolación, la imagen de su angustioso semblante que imploraba el final de aquel tormento. Además, el entumecimiento provocado por la incómoda postura se había extendido a todo el cuerpo.

—Le hablaré con franqueza, Fausto, déjelo estar, mejor así. La publicidad ha de dosificarse, crea adicción y angustia, no debe saturar al individuo. Créame, si no acabamos todos noqueados con los anuncios es sólo gracias a la impaciencia de la sociedad de consumo. Como ve, toda esta parafernalia de difusión se monta y se desmonta de la noche a la mañana. Usted sólo es un peón más en esta partida. Un peón a sacrificar. Hágase a la idea de que ha sido un sueño. Despierte y vuelva a la vida de antes.

—No soy un gil. Mefisto daba plata, carburaba... ¿No comprendo, no compr...?

El ciego truncó rápidamente el tartamudeo del abuelo, que continuaba despatarrado en aquel humillante taburete, y agitó el índice con intención intimidatoria.

—¡Escuche, viejo tarado! La Compañía hace sus números, sopesa los riesgos y blanquea sus dineros. Los mejicanos han cubierto con creces sus expectativas en España y han decidido irse con el mariachi a otra parte dejando aquí unos cuantos agujeros negros. Ya me entiende.

—Pero todo iba bien —dijo el abuelo entre dientes, y la tos le ahogó la voz.

—No del todo. El negocio no es, digamos, muy legal, por eso lo era. Como ve le enseño las cartas, pero no se le ocurra jugar con ellas. ¡Cuánto menos sepa, mejor! Esos tipos de Tijuana pueden ser peligrosos si se lo proponen. No juegue con ellos. Allá la muerte tiene una imagen festiva y lúdica, de calavera carnavalesca, pero no se confunda. Hágame caso, para esos tipos morir no tiene importancia. En otras palabras, le pueden joder bien, y en la frontera mejicana ese verbo nunca se hace carne. Se hace sangre. ¿Hablo claro?

Preguntó sin esperar ninguna respuesta en un tono desdeñoso, un tono que pretendía resumir toda la crueldad que no le permitía añadir su mirada. Aquella advertencia, amplificada por el eco del espacio vacío, se esculpió en braille en el rostro del abuelo.

El silencio y la oscuridad parecían los mejores aliados de su vicaria amenaza. Fausto, incapaz de articular palabra, entró en una fase de mutismo absoluto, entornó los ojos y se tapó los oídos. Luego, abrazando sus rodillas se cubrió el rostro entre ellas. En aquel preciso instante se hizo añicos su autoestima y se le murieron millones de células, se agolparon las arrugas en su frente y sus facciones se le cayeron a trozos. Perdió la mayor parte de lo que le quedaba de vida. Azuzado por una sorda febrícula, sus ojos dilataron aún más sus pupilas y estrenaron de golpe un brillo distinto. La córnea se le convirtió en un pardo cristal esmerilado, un cristal como el de la puerta mugrienta del comedor del hostal Carlos II, un extraño filtro que reproducía fantasmagóricamente la terrible imagen del tercer hombre. Hipnotizado por el sístole atronador de su propio corazón, miró desolado hacia todos los lados y a ninguno como si aquello fuera un espejismo, una pesadilla. Todo se hacía muy borroso. De la garganta le nacía un quejido sordo y monocorde, un monótono lamento casi inaudible como la vibración de una campana vieja. Abrió la boca como para decir algo, pero no pudo, la desesperación le impedía desatar el nudo de la garganta. Se le agolpaban las flemas. El tercer hombre seguía hablando y dando explicaciones pero el abuelo ya no escuchaba, ya no importaba lo que dijera.

El ciego intuyó el desinterés y arrugó la nariz. Tuvo la tentación de lanzarle un puñetazo, como a los cacharros que se atascan y dejan de funcionar, pero se contuvo.

—¡Cállese, Fausto! Su llantina me está poniendo enfermo. Me saca de quicio. Es la cruz que tenemos los ciegos: buen oído y mala hostia. —dijo sin levantar excesivamente la voz, confiado en la frialdad de su entonación. El perro ladeó ligeramente las orejas y se movió sólo para corregir la posición.

El abuelo se pasó la lengua por sus labios secos, deslavazado en aquella minúscula banqueta, a punto de desfallecer, con las piernas estiradas a los lados, y mareado por la deshidratación. En esa desértica oficina el calor era insoportable, le envolvía como una manta y le contraía las vísceras. Acaso por eso el viejo sudaba a mares. En medio de aquella pesadilla, su frente se llenó de pequeñas gotas que pronto se encauzaron por sus profundas arrugas y desembocaron en sus párpados. El sudor apenas le dejaba ver.

—Ah, un último regalo...

El ciego sacó del bolsillo interior de su americana de lino una papelina, depositó el contenido sobre la palma de su mano y recomendó al abuelo que utilizará uno de los billetes que acababa de recibir. Fausto se pasó las manos por los ojos, borrando los vestigios de aquella solución que le cegaba, híbrido de sangre, sudor y lágrimas, e hizo un canutillo con un billete de cien euros. Se lo calzó en la nariz al tiempo que se tapaba el otro orificio con un dedo tembloroso. El ciego extendió la mano y Fausto se acercó con mansedumbre aspirando ansioso el polvo blanco, luego lamió con avidez las motas residuales como un perro. El ciego retiró entonces su mano como si se estuviera quemando y, ahora sí, le arreó un bofetón que derrumbó al abuelo. El guantazo hizo despertar momentáneamente al perro lazarillo que, tras comprobar de soslayo que el golpe no lo había recibido su amo, aposentó nuevamente su morro baboso sobre el piso.

El tercer hombre no hizo ya más comentarios y dio por concluida aquella aciaga entrevista reiterándole a Fausto las terribles amenazas de la frontera mejicana. Se compuso el traje, se ajustó las gafas y se fue de aquella habitación guiado sigilosamente por el perro autista.

Con los músculos agarrotados, aún se quedó el abuelo un buen rato en aquella habitación vacía, arrodillado junto a la banqueta. El cuarto se ensombreció tanto como su futuro. El silencio y la soledad se adueñaron de él. El día también pareció nublarse y la oscuridad le abrazó por completo. En algún lugar de Madrid, al lado de unos cipreses, sonaron unas campanas bautizadas hace siglos. Aquel tañido resonaba muy poco halagüeño.

ACOSTUMBRADOS A TANTOS DESMANES FINANCIEROS, los medios de comunicación apenas ofrecieron información sobre la espantada empresarial de Sanilife y el escándalo de la campaña de la bebida energética Mefisto. Únicamente las revistas de la prensa rosa y amarilla, aquéllas en las que Fausto no ha mucho tiempo rebosaba vigor y alegría de vivir, publicaron los aspectos más morbosos del asunto. Fausto era tratado, en el mejor de los casos, de drogadicto e impostor.

Pronto le rondaron los primeros síntomas de demencia. Víctima del síndrome de abstinencia, del acoso de los programas más zafios de la televisión y de una soledad interminable, el abuelo entró en un estado de perplejidad y aturdimiento irreversible. Le sobrevino algo parecido a un derrame cerebral.

A pesar de ello, la patrona le puso de patitas en la calle. Una casa tan respetable como la suya no podía tener como huésped a un degenerado y vicioso drogadicto como aquél. Le despidió de mala manera y con un refrán: «Quien mal anda mal acaba». No le resultó fácil el lanzamiento, el viejo había cogido tanto cariño al cobijo del Carlos II que aquella amargada mujerona necesitó la ayuda de la Policía Municipal para desahuciarlo de su habitación.

El último mes, el reloj avanzó a una velocidad inusitada y Fausto envejeció diez años. Acabó desquiciado en una especie de asilo psiquiátrico de beneficencia a las afueras de la ciudad, sanatorio o tanatorio, frenopático o cárcel, ya sin ilusiones ni razones para seguir viviendo, con un déficit cognoscitivo incompatible con una vida que no fuera vegetativa.

A veces la monjita le llevaba a la sala de la televisión y le sentaba delante del aparato, encendido a todas horas. A pesar del jolgorio demente de la sala, Fausto permanecía ensimismado, con los ojos encandilados en aquellas imágenes de campiñas, rascacielos, detectives, broncas, aspavientos y tertulias vocingleras. Una reverente contemplación matizada por su sempiterna sonrisa postiza que regalaba a su rostro un indeleble e involuntario rictus de sarcasmo. Sólo cuando veía la publicidad, aquellas cantinelas que otrora le eran tan familiares, le hostigaba la inquietud y su respiración se hacía aún más sonora, casi un ronquido que silbaba como un quejido a través de aquella dentadura prestada.

Alguna cadena privada todavía emitía el espantoso anuncio de Mefisto. Lo hacía en esos programas de zapping retrospectivo, para escarnio del recuerdo, para mofa y befa del público más cutre. Fausto soportaba en silencio la incesante taquicardia, la tensión de saberse conocedor de la gran verdad. La idéntica verdad que conoció Hamlet en Dinamarca, el olor a podrido que tiene la vida. Entonces, miraba a su alrededor, observaba el furor cómico de la atrabiliaria audiencia que reunía aquel psiquiátrico y lanzaba un agónico suspiro.

No sólo Dinamarca era una prisión, el mundo entero era una prisión, una terrible pesadilla. Se sentía cuerdo en un mundo de locos, en un mundo vuelto al revés. Prisionero en aquella caverna y rodeado de barberos, curas y bachilleres hipnotizados por aquellos danzarines electrones en color, ignorantes de que la realidad estaba al otro lado de la pantalla, de aquella luz en seiscientas veinticinco líneas donde se proyectan las sombras.

Envilecido en lo más profundo de su ser, quién sabe si intentando comprender los insondables enigmas de la existencia o el sentido de la vida, pasaba las horas desorientado de un lado para otro del pasillo con sus manos tendinosas cogidas por detrás, derrengado, como enganchado a un lastre pesado, tratando infructuosamente de explicarse aquel trastorno amnésico. En su camino se encontraba con otras peripatéticas ánimas en pena que parloteaban frenéticamente y deliraban sus fantasías. Se tropezaba con bultos catatónicos e inermes que respiraban por inercia y con cuerpos decrépitos movidos por un extraño instinto de conservación. En aquel pasillo infame se mezclaban las risas oligofrénicas, las miradas paranoicas y el gesto vegetal.

Fausto comía poco y a regañadientes y, a pesar de sus escasas energías, se había instalado en un nihilismo sedicioso e indisciplinado. Odiaba las sesiones de esparcimiento programado por aquellos psicópatas de batas blancas bordadas con un acrónimo indescifrable y se negaba a participar en aquellas patéticas terapias de aerobic, bailes de salón y taichí.

Al atardecer, dos enfermeros le alejaban momentáneamente de aquel olor a medicamento y muerte y le sentaban en el letargo del jardín. Bajo el porche emparrado Rosenkrantz y Guildernstern le administraban la medicación. El derrame cerebral había apagado casi todas las luces de la mente del viejo pero no había logrado sepultar del todo su proverbial indisciplina. Fausto escondía en el envés de su dentadura postiza aquellas venenosas píldoras de colores y, en un descuido de aquellos matarifes, las escupía. Desde el día de su internamiento forzoso, aún le quedaba en el paladar el regusto amargo a medicina y sangre. Alguna paloma las picoteaba y encubría las pruebas de su rebeldía. Nadie más le hacía compañía. Quizá la muerte fuera eso. Echar miguitas a las palomas.

Los días eran cada vez más cortos. Las últimas tardes del verano transcurrían con lentitud y el viento azotaba las hojas dejando al descubierto el esqueleto de los árboles y anticipando un otoñal manto de hojarasca. El crepúsculo se adelantaba por entre las copas de los pinos y las nubes arañaban el cielo y se escondían cada vez más temprano al otro lado del Almanzor, allí donde el sol tenía su cueva. El resplandor rojizo de la cumbre teñía el cielo como si lo difuminara con un pincel el propio Mefistófeles.

El día languidecía, los colores se descomponían y un aire doloroso abofeteaba el rostro del abuelo. El declive de la tarde y de su vida. Todo estaba en calma en este mundo periclitado y decadente que pronto iba a prescindir también de él. Lo sabía. Cada vez que salía al patio, los buitres trazaban círculos en el cielo y los chopos se asemejaban cada vez más a los cipreses de un cementerio. Fausto ya formaba parte del paisaje. Naturaleza muerta.

Envuelto en su sueño eterno, con el soplo de vida indispensable para seguir vegetando, desconectados casi todos los sentidos, el abuelo arrastraba su mirada por el horizonte agónico de la Sierra de Gredos, inmóvil, ebrio de sufrimientos y a la espera del fin de la función, del tiro de gracia, contemplando desde aquel carcomido banco de madera «como se pasa la vida y como se viene la muerte tan callando». La muerte se le venía encima y él no hacía nada por ahuyentarla.

El sol se resistía a bajar el telón y el viento silbaba entre los riscos y mecía las hojas de los árboles. Una bandada de pájaros pasó por encima de su cabeza y casi lo despeina. Fausto se mesó el cabello y se puso en pie. Las piernas ya no podían sostener su cuerpo, apenas dar unos pasos sintió el tirón de sus músculos agarrotados así que se sentó en un tronco y entretuvo su mirada en un hormiguero. Su dañada corteza cerebral, en carne viva, intentaba interpretar a su manera el mundo que le rodeaba, pero no era capaz de asociar los nombres a las cosas. No acertaba a encontrar las palabras precisas para identificar la vida circundante. Miraba ya sin ver. Sólo su desordenada imaginación recreaba el pasado más lejano y oculto, e incluso presentía las pisadas fósiles de la calzada romana que atravesaba el Puerto del Pico rumbo a lo desconocido.

Hierático, sin fuerzas para seguir viviendo, vacío de recuerdos, era incapaz de pasar revista a los buenos tiempos, si es que alguna vez los hubo. Ya no se acordaba de su desamparada adolescencia vallisoletana de pan negro y mondas de naranja, cuando pintaba angelitos asexuados y rótulos imitación a mármol y a madera para droguerías y tiendas de ultramarinos, de su juventud golfa y porteña en el barrio de San Telmo, de su esposa argentina y de su hija que quizá no llegara nunca a nacer. A pesar de lo que prometiera Mefisto, recordar fogonazos del pasado es el único aliciente que le queda a un viejo. Él ya no podía hacerlo.

La barca de Caronte le esperaba para conducirlo al averno, la muerte misma lo perseguía hasta aquel umbrío valle del río Tiétar y se lo encontraba rememorando sus tertulias en el Hostal Carlos II, la Corte de Elsinore, como él decía. Tal vez por eso aplazaba su encargo.

Sólo cuando, como por arte de magia, el viento tibio de la sierra le golpeaba con el aroma de las matas de jara y le arrullaba con el sonido musical del riachuelo, sus ojos parecían distintos, como si acabaran de estrenar el mundo. En ellos se reflejaba una luz que ya no había. Aquel rumor fluvial le evocaba las notas de un bandoneón y le hacía tararear con un hilillo de voz, que Dios sabe de dónde saldría, un tango de Gardel.

Era todo el sitio que quedaba en su memoria. Sólo para el tango amigo, su testamento espiritual. Entonces le embargaba una remota emoción y una infinita tristeza. Bajo aquel cielo azul sembrado de nubes, sus párpados batían con fuerza y sus ojos, velados por la lentilla de la desgracia, parecían cobrar vida. La suficiente como para vagar por aquella calzada romana como alma que lleva el diablo, como un cadáver más de la historia del mundo.

Caminito que el tiempo ha borrado
que juntos un día nos viste pasar,
he venido por última vez,
he venido a contarte mi mal.

Se hizo de noche. Fausto Bandarra, de nombre tan pendejo, no iba a tardar mucho en morir. Quizá con más años de los que realmente tenía. Poco importa cómo.

A IGNACIO LEGUINECHE, EL LUGARTENIENTE DE *Pancho Villa* en España, le esposaron en Barajas los agentes de la UDYCO al volver de las islas Caimán. La Unidad de Drogodependencia y Crimen Organizado llevaba semanas investigándolo como máximo responsable de una red dedicada al lavado de dinero procedente del narcotráfico.

El calvo de Neguri que tanto había impresionado al viejo Fausto era un ejecutivo del Banco de Fomento Industrial que, no contento con sus elevados emolumentos, había buscado incentivos en la mugrienta lavandería de la empresa mejicana Sanilife. El caso, desgraciadamente para él, no había caído en el Juzgado del trastornado Justo Munilla, que seguía haciendo de las suyas en aquellos concurridos estrados de la Plaza de Castilla, aunque gracias a sus maniobras y contactos en las altas e involucradas esferas bancarias y en el Ministerio del Interior, se había librado por el momento de la prisión preventiva tras depositar una cuantiosa fianza.

Un caso de tal complejidad y envergadura precisaba del mejor asesoramiento jurídico, así que Leguineche contrató los servicios del abogado Carlos Vivales.

A pesar del tupido entramado organizativo montado para blanquear el dinero de la empresa mejicana y de la complicidad del secreto bancario, el vasco sabía que la policía atesoraba pruebas suficientes como para que esperase unos cuantos años a la sombra del tenebroso patio de Alcalá-Meco antes de que pudiera disfrutar alegremente de la fortuna escondida en la isla del tesoro. En su despacho de Torre Europa se habían incautado fehacientes documentos de las sociedades fantasma creadas por él y copias de seguridad informáticas que probaban sobradamente el delito del que se le acusaba. Además, limpias de hojarasca erótica, la transcripción de sus intervenidas conversaciones telefónicas no dejaban mucho hueco a la presunción de inocencia.

Pero el vasco había ideado una estrategia muy sencilla: Defensa siciliana. Convencido de que la Justicia era ciega y un poco pardilla jugando al ajedrez, iba a complicar el juego y a estirar la partida hasta el límite de la bandera. En el tramo final del proceso comparecería ante el Tribunal con cara de póquer, tan irritado y confundido como Joseph K.

Un juicio no es más que un toma y daca, una larga y fatigosa partida de ajedrez. Y en toda partida de ajedrez el vasco sabía muy bien que el reloj también juega.

No, no se resignaba a una jugada sencilla. Llegado el jaque mate, y antes del «visto para sentencia», gambito de dama. El empresario iba a sacrificar su reina, renunciando estratégicamente a la defensa de su brillante letrada, y la iba a sustituir por un peón de brega agresivo e ingenuo llamado Vivales, un abogado más falso que Judas que a última hora le permitiría la burla de alegar indefensión.

Aquél era un enroque con la figura equivocada. Leguineche iba a jugar con negras y a defender su trono sin las debidas garantías procesales. Qué injusticia.

Y borrón y cuenta nueva. Vuelta a empezar la partida, a colocar los peones sobre los escaques, a especular y a apurar el tiempo hasta rozar la prescripción. Ésa era la estratagema: 1. e4 c5. Eso Vivales aún no lo sabía.

El falso abogado suponía que aquél era el pleito que le iba a rescatar del arroyo de Lavapiés, el caso de su vida, nada le hacía sospechar que iba a significar el de su muerte, la estocada definitiva. Él no sabía jugar al ajedrez ni dónde coño estaba El Gran Caimán, pero sus enormes fauces le iban a devorar para siempre.

Al vasco no le resultó difícil averiguar la impostura del letrado Vivales. Inicialmente sólo buscaba un abogado malo y desesperado que estuviera dispuesto por un pequeño aumento en su minuta a unas cuantas trifulcas procesales tales como no presentarse a las citaciones, solicitar aplazamientos simulando bajas médicas, arrancar algún documento de las diligencias y otras ingeniosas ocurrencias con las que ganar tiempo y obstruir la acción de la justicia.

En una de sus visitas a la agencia de publicidad Fetiches y Artimañas ahora reconvertida, sin necesidad de cambiar el rótulo, en gabinete sado-maso de alto standing, descubrió el colindante cuchitril de Vivales. Aquél fue un día de suerte para Leguineche. Al investigar el reconocido prestigio de aquel jurista, comprobó que se trataba de un vulgar impostor, y se le encendió la lucecita. Aprovechando esa sorprendente pieza se disponía a jugar con ella hasta el final.

Leguineche le confió a Vivales algunos detalles de aquella compleja trama financiera. Aquel tinglado superaba con creces las trampas y trapicheos de gestoría que él conocía. Hasta el momento, descontando el asunto del escándalo público de las Drags del Mogambo y la falsificación del permiso de residencia de Pandora, sólo había defendido amenazas y pequeñas trifulcas vecinales en juicios de faltas y había amañado por una pequeña comisión algún matrimonio de conveniencia entre tarados y prostitutas extranjeras para conseguir la nacionalidad española. Así que lo que Leguineche comenzó a relatar de forma resumida, a Vivales le venía más grande que el traje.

La cocaína es el artículo más rentable que existe y su distribución mucho más cómoda que las demás drogas. A pesar de la información que se transmite a la opinión pública, no hay ningún interés en terminar con este lucrativo negocio. La demanda sigue aumentando a pasos agigantados en Europa y Estados Unidos, así que no hay más que equilibrar la oferta y proveerla de género. Las peligrosas mafias colombianas buscan constantemente cabezas de puente en Méjico para abastecer al mercado norteamericano y en Portugal y España para llegar al europeo.

El emergente Cartel colombiano del Valle, controlado por la guerrilla de las FARC, en conexión con las mafias de Tijuana y Ciudad Juárez, había fundado con todos los parabienes legales la compañía Sanilife, una empresa tapadera dedicada a los productos homeopáticos y nutricionales, con el fin de introducir en España cincuenta toneladas de cocaína.

La pasta base se refinaba en Méjico y se embarcaba en el puerto de Veracruz rumbo a las islas Azores. Los colombianos aseguraban el transporte de la mercancía hasta Portugal, dejando en el camino un reguero de mordidas y sobornos, algunas amenazas y unos cuantos cadáveres. En las Azores, al abrigo del Atlántico y del aroma de los azulados macizos de hortensias, los mejicanos habían montado la planta embotelladora de Mefisto para ocultar la mercancía. Mefisto era una milagrosa bebida energética que prometía algo más que alas a los ancianos. Los primeros diez mil kilos de mercancía fina llegaron al puerto de Punta Delgada en la isla de San Miguel en dos contenedores que salieron camuflados en las latas de aquel bálsamo de fierabrás hasta Lisboa, y de allí, a un almacén de Torrejón de Ardoz, para llenar de vigor y felicidad a toda Europa.

—¿Me sigue?

—Sí. Siga, siga, don Ignacio.

Del asunto de la intendencia y la distribución se ocupaba el hombre de Tijuana en España, el escurridizo Héctor Alvarado, aquél tipo que a Fausto le recordaba a Pancho Villa. Leguineche se hacía cargo de la engorrosa locomotora del tren de lavado. No hacía falta ser un experto para calcular lo que se podía obtener colocando aquella mercancía. A ojo de cubero estrábico, unos mil millones de euros, libres de impuestos, descontando sobornos, comisiones y gastos funerarios.

El de Neguri se ocupaba, por una módica comisión del cinco por ciento y un rentable plan de jubilación para varias generaciones de los Leguineche, de desviar la mayor parte del dinero a cuentas opacas a nombre de sociedades fantasma de bandera panameña en diferentes paraísos fiscales: Gibraltar, Barbados, Nassau e Islas Caimán. Ahí terminaba su cometido. Luego los asesores de aquellos tipos lo blanqueaban a través de casinos, restaurantes y empresas ficticias dedicadas a operaciones de importación y exportación, y testaferros que invertían en ladrillos, joyas, filantropía desgravable y obras de arte.

—Son los mejores clientes de Sotheby's, se lo aseguro.

Vivales escuchaba con interés todo aquel enredo, con la atención pasmada con que escuchan los desamparados. Era evidente que aquel tinglado le desbordaba, pero su penuria económica no aconsejaba tirar la toalla a las primeras de cambio. Él era un superviviente y ya encontraría otra vez la manera de tirar el flotador si venían mal dadas. En ese momento estaba como en trance, todo aquello le sonaba a música celestial, estaba sentado ante la minuta de su vida. Era como si le hubiera tocado la lotería. Ciencia ficción.

—¿Por qué a mí? Usted dispondrá de los mejores abogados de Madrid...

Esa fue la única pregunta inteligente que hizo Vivales. El calvo compuso una mueca de inocencia antes de contestar.

—Vamos don Carlos, no se subestime. ¿Conoce un cuento de Borges en el que un tipo decide matar a un hombre gratuitamente, sólo por estética, y lo selecciona al azar con la ayuda de la guía telefónica?

—No

—Algo inexplicable, ¿verdad? Pues algo así me ha ocurrido a mí. El mundo es un laberinto, un pañuelo lleno de casualidades, un «jardín de senderos que se bifurcan». Si no fuera porque es usted de letras le explicaría los arcanos de la mecánica cuántica.

—Creo que eso tiene algo que ver con el caos...

—No se inquiete don Carlos, la vida da muchas vueltas, a pesar de que lo haya elegido al azar, mi intuición me dice que usted es un excelente abogado. Yo no necesito uno de esos caros y atildados abogados al uso, quiero uno que transmita duda e inocencia. Le quiero a usted. Le veo con desparpajo.

—Es usted muy generoso don Ignacio, pero yo no conozco el mundo de los manejos especulativos y las altas finanzas ni tengo práctica en la defensa de los delitos económicos. Perdón, presuntos delitos económicos —corrigió sonrojado, desviando un instante su mirada hacia la calva brillante del vasco.

—No, no se preocupe. Defínalo así. Las pruebas son tan evidentes que el juicio sobra. No nos engañemos don Carlos, un buen negocio ha de ser por fuerza ilegal. Con franqueza, yo soy culpable de lo que se me acusa, pero usted debe actuar como si no lo fuera. Ése es el juego. Además, todo lo que aquí se diga queda protegido por el secreto profesional. ¿Supongo? —apuntó a media voz el calvo.

—Por supuesto, Sr. Leguineche... Pero insisto, quizá abrazo más de lo que puedo abarcar, ni siquiera sé dónde están las islas Caimán.

—No se achique. Caballo grande, ande o no ande. Yo le pondré al día. Para entendernos, concéntrese en una cosa: unos amontonan dinero sucio y otros tenemos la desagradable misión de esconderlo y lavarlo.

El azar irrumpe en nuestra vida como un tren que sólo para unos minutos en un apeadero. Vivales decidió cogerlo casi en marcha. No puso ninguna pega más y, aunque no auguraba nada bueno, aceptó el caso. Era la oportunidad de su vida.

El empresario vasco le explicó con soltura la geografía de unas islas que parecían haber emergido sólo hacía unos años y la intrincada trama de empresas y apuntes bancarios en la que consistía aquel negocio.

Al parecer, en la isla del Gran Caimán operan más de quinientos bancos de todo el mundo, aunque si alguien los atracara no se llevaría ni un dólar. Todos sabemos que fundar un banco es mucho más rentable que atracarlo. Allí no hay cámaras acorazadas ni depósitos donde alojar el botín. Sólo hay números y apuntes contables. Dígitos cabalísticos e intocables. La confidencialidad es sagrada. Si algún empleado osara comunicar la identidad de un cliente le caerían cinco años de cárcel. Y por si fuera poco, la palabra «impuesto» está prohibida por la Constitución.

—Como lo oye. No existe impuesto de sociedades, ni de personas físicas, ni gravamen sobre beneficios, rentas o propiedades. Nada de nada. En resumidas cuentas, un paraíso, don Carlos.

Antes de irse de aquel minúsculo despacho, Leguineche concertó con el abogado un escaso calendario de entrevistas y la estrategia procesal a seguir ante el Juzgado Central de Instrucción. También le extendió sobre la mesa, justo al lado de la foto trucada en la que Vivales aparecía sonriente estrechando la mano de Emilio Botín, unos cuantos papeles que resumían a la perfección todo lo necesario para ejercer una buena defensa, enturbiar al máximo un proceso judicial y marear la perdiz en esas galerías kafkianas donde todo es posible. Al lado de aquel papeleo, dejó lo más importante, un cheque en concepto de provisión de fondos por importe de diez mil euros. Lo dicho, a Carlos Vivales, ese pícaro otrora errante y errático, le había tocado la diosa Fortuna con su varita. Eso pensaba. Era tan ingenuo como sólo puede serlo un hombre desesperado.

Se acabaron las penurias económicas, los deleznables comistrajos y los trajes grandes pasados de moda. Vivales se frotó las manos con regocijo, besó el cheque y se lo guardó en el bolsillo interior de la americana. Concluía por fin su estancia en aquella maloliente pensión de cuarta, el Hostal Carlos II. No, no iba a echar de menos a la siempre malhumorada patrona, a la puta brasileña, al cascabelero transexual de Cali, ni al joven escritor degenerado y alcohólico. No. Si acaso, había cogido cariño a las manías del viejo y entrañable Fausto, ahora desahuciado en un psiquiátrico del auxilio social. Se acordaba de sus citas de Shakespeare y de sus tangos.

Que es lo mismo el que labura
noche y día como un buey
que el que vive de los otros,
que el que mata o el que cura
o está fuera de la ley.

Al cabo de dos años de argucias y triquiñuelas jurídicas, Carlos Vivales ingresaría en la cárcel de Alcalá-Meco acusado de complicidad en unos cuantos delitos económicos, falsificaciones varias, obstrucción a la justicia, usurpación de funciones e intrusismo.

Tardó doce años y un día en pagar todos los platos rotos. Ya no volvió a levantar cabeza.

UN BUEN DÍA, TAMBIÉN NARCISO SUANCES ABANDONÓ el Hostal Carlos II. Desapareció. Su huida coincidió con la salida al mercado de lo que pronto sería el éxito editorial del año: *Parada y Fonda. Diario de un asesino.* Pastas duras, fajita roja pregonando sus muchas ediciones y morboso despliegue mediático. El libro comenzaba con una paradójica cita atribuida a su padre:

Debes luchar por lo que quieras ser, pelear por un ideal a vida o muerte

y terminaba con un sorprendente y apócrifo epílogo del finado Arturo Galán que irónicamente denominaba: epitafio.

El diario, que parecía escrito sólo como terapia y, según se anunciaba con cinismo en la solapa, para que no se leyera, contaba los malhadados pasos literarios de Suances, sus excesos y quebrantos, sus delirios nocturnos, su convivencia en la mugrienta pensión con aquella turba de personajes esperpénticos, los encargos de Arturo Galán, su particular descenso a los infiernos y su posterior asesinato.

Soy un asesino y ésta es mi confesión. Estas páginas explicarán qué hice, cómo lo hice y por qué lo hice. A pesar de que este diario, si llegara a publicarse, supondría mi ruina, no quiero andar con rodeos, voy a contarlo todo...

El chico se mostraba en el libro como un mártir solitario y esquizofrénico, como un atormentado personaje de Genet que habría intentado impedir por todos los medios que ese íntimo relato se publicara y fuera leído. Como decía, no quería infectar al lector con sus horrorosas pesadillas. Un astuto imitador de Kafka que advertía que su transgresora obra sólo tenía sentido en la intimidad de su cuarto.

Así las cosas, el autor fue canonizado con rapidez y su misterioso anonimato, más celebrado que el de Salinger. En pocas semanas, el libro encabezaba las listas de los más vendidos.

El libro no era más que un relato deslavazado, catártico y provocador, enmarcado en una especie de subgénero delictivo, que se interrogaba sobre el sentido del mal y justificaba la ética y la estética del crimen. El asesinato siempre restablece el orden de las cosas, afirmaba en el primer párrafo del diario. El morbo había multiplicado geométricamente sus ventas y el libro se había convertido en muy poco tiempo en objeto de culto y fetiche de horror. La puñetera globalización

El chico se declaraba heredero de la obra de Thomas de Quincey, *Del asesinato considerado como una de las bellas artes*, y revelaba sin ningún rubor su crimen. Un asesinato cometido a guisa de exorcismo, con estética y premeditación literaria, y sin móvil al uso, como él mismo confesaba. Sólo había cumplido con su deber. No era necesario que las ratas argelinas de Camus salieran de sus cloacas, ni que se convirtiera en grillo o cucaracha, siguiendo el edificante consejo que Lady Macbeth le ofreciera en la pensión por boca del viejo Fausto, sacó a relucir el instinto de maldad necesario y acompañó a Dante por los infiernos. El fin justifica los medios, se dijo. La consecución de su verdadera aspiración: la gloria literaria. A vida o muerte.

Nereida era un policía que había hecho submarinismo en muchos charcos y no tenía ni hambre ni sed de justicia. Un tipo pesimista con muchas cicatrices en el alma que descreía de todo, hasta de sí mismo. Harto de sacar las castañas del fuego y de quemarse muchas veces con ellas, aburrido en el empeño de las batallas perdidas de antemano, había olvidado esa antigua obsesión por la ley, el orden y el Reglamento del Cuerpo Nacional de Policía que centrifugaba los cerebros de los recién ingresados. Sólo cuando el alcohol se lo permitía, la única ley que respetaba era la de la gravedad. La única monarquía a la que juraba lealtad, la de la baraja.

Sabía de sobra que todos aquellos términos grandilocuentes que se usaban en las sentencias judiciales y en las exposiciones de motivos del Boletín Oficial del Estado no eran, ni mucho menos, sinónimos de justicia y que la vida necesitaba de un cierto caos para que siguiera funcionando tal como era, llena de embustes, estafas, canalladas y crímenes.

Ya no existía en ninguna farmacia de guardia un antibiótico capaz de aliviar la enfermedad que nos había infectado, capaz de reconstruir un orden que no existe. Tantos años en la investigación policial le habían permitido el privilegio de descubrir un mundo desconocido para el resto de los mortales, un mundo fingido y mentiroso que construye a diario sus propios mitos y cuyos poderosos dueños se ocupan de adaptarnos periódicamente los cristales para que continuemos ciegos.

No, no albergaba ninguna confianza en la supervivencia del género humano, un género vanidoso y farsante, un género con un repertorio de instintos limitado y cuya inteligencia, en estado de franca involución, sin duda le llevaría pronto a su extinción. ¿Qué mas daba que alguien anticipase su final? Todos somos hijos de Caín.

El crimen siempre le procuraba un adversario, una dialéctica vital mucho más importante que la detención de un vulgar asesino, era la metáfora de la eterna búsqueda de sí mismo. Compartía la misma sensación que sentiría el investigador de los enigmáticos crímenes de Jack el Destripador. El reto filosófico de las eternas preguntas sin respuesta. Una especie de desafío intelectual, algo así como descifrar la clave de una caja fuerte. Por eso la impunidad le encrespaba algo más que su encanecido cabello.

Andaban a ciegas. Aunque, a simple vista, podía parecer un homicidio comprensible, no había ninguna prueba contra el excéntrico Narciso Suances. Convicto y confeso literario, pero nada más.

Era cierto que podía ser el asesino. Tenía todas las papeletas de la rifa. Era un chico a quien se le había exigido demasiado, su propia dignidad a cambio de muy poco, y parecía lógico que el odio hubiera nublado su conducta hasta extremos homicidas, pero inculparse de esa forma tan burda no entrañaba automáticamente su culpabilidad ni bastaba para enviar a un hombre a la cárcel. La confesión no podía desvanecer la presunción de inocencia y si acaso, sólo había de considerarse como una prueba más. La única que tenía Nereida.

Sólo un imbécil se pasearía desnudo por los caminos como un penitente medieval buscando ser perdonado. Sólo un imbécil confesaría a los cuatro vientos un crimen perfecto. Todo parecía una trampa literaria. Hasta las citas del libro eran apócrifas.

Además del falso subterfugio de la orgía con Pandora y la brasileña en aquella posada patibularia, la investigación del inspector había descubierto la coartada más sólida de Narciso Suances. En El Corte Inglés, una amable dependienta le había atendido aquella tarde intentando arreglar primero y sustituir después un averiado televisor con vídeo incorporado. Recordaba perfectamente la hora, el rostro espectral y sonrojado de Narciso y el inolvidable título de la cinta de vídeo que extrajeron del aparato: *Zoofilia perversa.*

Así que Nereida sólo tenía un montón de huellas, unos pocos sospechosos con coartadas contrastadas y verosímiles, y un único testigo del asesinato: Anubis, el detestable perro de los Galán. Y eso era como no tener nada. Caso cerrado.

El inspector se hallaba de nuevo ante el eterno conflicto entre la realidad y la ficción, ante la fascinante dialéctica entre la verdad aparente o la auténtica verdad. La verdad y la mentira. Los trienios en el Cuerpo le habían enseñado a recelar de lo obvio y de lo evidente, a desconfiar de confesiones tan estúpidas. Además, aquello no era más que literatura, y la mentira es su razón de ser. Pura palabrería. Sólo confidencias de un escritor fracasado. Un diario. Y ya se sabe, quizá nunca mintamos más que cuando hablamos de nosotros mismos.

El caso, que durante semanas había adquirido categoría de escándalo, pronto se olvidó. Los periódicos, que sólo unos días antes murmuraban hechos terribles, intrigas palaciegas, chismes, traiciones literarias monstruosas y otras truculentas maquinaciones, se ocupaban ya de otras noticias. El famoso asunto del asesinato de Galán, además de enterrado mediáticamente, estaba sobreseído y archivado provisionalmente por falta de autor conocido.

Podía tratarse de un crimen pasional. En realidad, todo asesinato no dejaba de ser el precipitado de una pasión mal entendida. Pasión al fin y al cabo. Tampoco hacía falta explicarse tantas cosas. Nuestro cerebro de primate mutante no está hecho para entenderlas. Nuestra verdadera condición es la ignorancia.

Esas y otras cavilaciones amargaban el café con churros de Nereida. A pesar de que amaneció un día claro, la pucelana, agudizando su crisis existencial, leyó en los posos y le pronosticó otro día gris. Todo aquello hizo que volviera al sol y sombra.

El inspector despachó su jornada laboral de forma burocrática, hizo unas cuantas llamadas de intendencia, recibió un par de denuncias por violación de la propiedad intelectual y firmó con desgana unos oficios de la Brigada para intentar desentrañar un asunto de ajuste de cuentas por tráfico de drogas. Siempre a los niveles que le estaban permitidos: la delincuencia de menudeo. No era cuestión de hacerse preguntas transcendentales ni tirar del ovillo más de la cuenta.

Aquella tarde, el inspector visitó de nuevo a Marcela Sumalavia, ahora agente literaria de Narciso Suances (A rey muerto, rey puesto), ya más como postrera visita de cumplido que como cita profesional. En su sala de espera siempre había escritores desasosegados esperando audiencia, jóvenes escritores que, seguramente, en sus círculos de amistades confesarían también escribir sin ninguna ambición de provecho, sólo para sí mismos. Ella seguiría derrochando teléfono y nadando en la abundancia. A pesar del aireado fraude del negro literario y del escándalo sobre su vida sexual, o precisamente por eso, también los libros de Galán se vendían como rosquillas. Un escritor consagrado vende más después de muerto, mejor aún si se le ha embalsamado con todos sus trapos sucios.

Narciso Suances no dio pasos en falso, salió a flote de aquel naufragio y dio un giro copernicano a su vida. Había liado los bártulos y se encontraba en paradero desconocido disfrutando de una vida muelle a prueba de posibles extradiciones. Había salido de naja a uña de caballo y sólo se conectaba con su agente a través de una cuenta de correo electrónico y de otra electromagnética sin límite de saldo en las Islas Caimán. Al parecer, se comunicaban mediante mensajes crípticos y contraseñas secretas que requerían clave de acceso, santo y seña, una llave de la que únicamente disponía Marcela Sumalavia, menos dicharachera que en la anterior entrevista e investida también de una especie de secreto profesional.

Le recibió con poco entusiasmo, con una mueca forzada que parecía una sonrisa y vestida como disfrazada de figurante de la ópera rock *Jesucristo Superstar.* Llevaba una túnica desflecada y un extravagante collar de piedras blancas colgado al cuello. Olía como a incienso. Estaba tecleando en el ordenador y le mostró en pantalla una foto de Narciso rescatada de internet. En ella Suances no parecía devorado por el remordimiento, no tenía el aspecto atribulado de Raskolnikov en *Crimen y Castigo.* Se le veía contento, con una sonrisa angelical, una camisa floreada, sombrero de jipijapa, y al lado de un par de mulatas solícitas sobre las que colgaba sus brazos blancuzcos. Posaban delante de una playa de arena blanquísima, agua cristalina y arrecifes de coral. Aquel no era precisamente el paraíso artificial de Baudelaire que el chico había conocido en la ciénaga del Carlos II. Era el auténtico edén. En una esquina de la foto se distinguía un cartel que anunciaba las celebraciones de la Semana de los Piratas. Sin duda, había suprimido de su dieta las patatas fritas, los frutos secos y las ensaladas de garbanzos con berza, había adelgazado y tenía mejor color que cuando Nereida le conoció en aquella maloliente pensión. Marcela observó la expresión del inspector, se encogió de hombros y le dijo:

—Ve usted como no hay que compadecerlos tanto... *Dolce far niente*

Por si acaso, no le mostró más fotos de Narciso ni tampoco sus elocuentes mensajes vía correo electrónico.

Alegó que un nuevo virus le había contaminado el ordenador y le había desbaratado sus archivos. Escenificó el contagio informático toqueteando el teclado con destreza. «No se pudo encontrar el host. Error de socket» , saltó a la pantalla.

—Esto es un galimatías, Nereida —dijo pizpireta, economizando ahora las palabras.

Los nerviosos aspavientos de Marcela hicieron que las piedras del collar tropezaran con las teclas. Se borró un último mensaje del fugitivo, sin que ella llegara a leerlo.

Narciso Suances nadaba en la abundancia. En pocos meses, los derechos de la novela le habían deparado una considerable suma de dinero que despilfarraba en un cómodo y anónimo retiro caribeño. Sin acusación en firme, la juez no había podido decretar la orden internacional de busca y captura ni el embargo de los bienes del sospechoso, y el chico, que andaría jugueteando con las bolas chinas que habían servido de talismán para el éxito de Galán, estaría disfrutando de los cientos de miles de euros guardados a buen recaudo en las islas Caimán, unas islas que Nereida tampoco sabía dónde coño estaban.

El inspector preguntó a Marcela por la credibilidad del diario.

—¿Usted cree que alguien dice la verdad en un diario? Es literatura, pero no se escandalice Nereida, la muerte es parte de la vida. La purifica. Vivir no es más que una farsa. Desde antes de Homero, la literatura está llena de referencias al respecto.

—Veo que todo este asunto no le ha significado ninguna tragedia. Al contrario.

—Las tragedias griegas son así, están llenas de asesinatos: Orestes mata a su madre, Medea asesina a todos sus hijos y Edipo mata a su padre. Son los vericuetos de la condición humana, Nereida.

El policía, aburrido del timbre nasal de aquellas filosofías, esquivó los obstáculos formados por los papeles y los libros apilados y se asomó por el amplio ventanal de aquel despacho. Percibía con nitidez el murmullo de la gente y su vagar a ninguna parte. La noche recién nacida se adueñaba de Madrid y repintaba de negro el color sanguíneo del crepúsculo. Desde allí contempló la ciénaga urbana que se abría ante sus ojos cansados: los tejados ocupados por las palomas y el laberinto de esas calles por donde transitan las hipócritas convenciones morales, el culto al poder y al dinero, el desarraigo y la ausencia. Esos iluminados paseos que no eran más que un crisol de celos, ambiciones y odios, de pasiones, excesos y frustraciones. Una boca de metro vomitaba gente. Sólo eran miopes almas del purgatorio arrastrando por aquellas sucias escaleras la fascinación y el desencanto por el paraíso perdido.

Repasó mentalmente las cábalas de la investigación de aquel embrollado caso y el muestrario de sospechosos: el negro literario, el chapero desconocido, la prostituta desequilibrada, la atractiva viuda... Tanto como nada. Demasiados cabos sueltos. ¿Por qué obcecarse en este asunto? ¿Por qué obsesionarse en descifrar un enigma que a nadie interesaba? No era un crimen perfecto, pero nada se había perdido con la muerte de Galán y nadie parecía reclamar su cadáver. Ahora que Nereida conocía su vida falsa y disoluta, incluso le pareció un crimen higiénico. Otra víctima más del funesto determinismo.

Marcela Sumalavia atendía sus numerosas llamadas y difuminaba su escaso maquillaje con el teléfono. Nereida, arrimado al cálido cristal de la ventana y contagiado de la filosofía barata que llenaba las paredes de aquel despacho, observaba pensativo el devenir de aquellas calles llenas de gérmenes, de virus informáticos, de virus sociales y venéreos. ¿Por qué traicionar el orden natural? La muerte pone orden en la vida, circula por nuestras alcantarillas, viaja en nuestra contaminada atmósfera, en nuestros adulterados alimentos, en nuestras células madre y en nuestro estúpido cerebro.

Algo iluminó su mente cuando se encendieron todas las luces de la ciudad. Hay cosas que no se pueden demostrar pero se intuyen. Cosas que, sin necesidad de nociones de psicología o criminalística, se saben por instinto. Detalles que de pronto riman como un poema.

El inspector nunca sonreía, nunca había encontrado motivos para hacerlo, pero esta vez lo hizo para sus adentros. Quizá en su fuero interno había despejado la incógnita, había resuelto el crucigrama, había aclarado su particular enigma de Jack el Destripador. La caja negra del crimen.

Emerenciano Nereida era un policía diferente, un lobo estepario. Un individualista inmune al asombro, alérgico a la línea recta y escarmentado de tantas batallas perdidas, que administraba la verdad y la ley como le venía en gana. Recordaba perfectamente una tira de Mafalda que decía: *Si uno no se da prisa en cambiar el mundo, es el mundo el que le cambia a uno.* Evocó los tiempos de la guerra sucia en el País Vasco, su eterno papel de cabeza de turco en la Dirección General de Seguridad, el atentado sufrido y aquella operación a vida o muerte que le salvó el pellejo. Reflexionó sobre la justicia divina y la humana, sobre esas ordalías inútiles representadas por jueces como el iluminado Justo Munilla o el suicida Matías Pedralva y tantos otros.

Obedeciendo un oculto sentido, decidió dar por bueno el auto de archivo y por concluida la investigación. Ya no le importaba fracasar una vez más en el intento. Revolver este asunto no le iba a ayudar a sentirse mejor ni a recuperar las sombras de su pasado. Aún a sabiendas de que no existe el crimen perfecto, por motivos que ni él mismo alcanzaba a comprender optó por dejar las cosas como estaban. Nada había apostado esta vez, así que no se sentía en deuda con nadie. Pensó también que algunos crímenes merecían quedar impunes.

Más allá del bien y del mal, siempre es la muerte la que aplica justicia y mantiene el equilibrio ecológico, la catarsis ininteligible, el caos impenetrable que pone orden en el mundo. El vaticinio de Mafalda.

A pesar de las evidencias literarias, estaba convencido de que Narciso Suances no era el asesino. Cierto era que estaba un poco trastornado, pero eso parecía tener disculpa; la literatura no alcanza la categoría de arte hasta que no pacta con la patología. Escribir requiere de idénticas dosis de sensibilidad y demencia. Y eso a la larga pasa factura.

En realidad, Galán no habría muerto. En el absurdo mundo de los escritores seguiría aún con vida, resucitando cada vez que a alguien le diera por abrir un libro suyo. Porque, aunque hubiera pasado la frontera de la historia con pasaporte falso y sus sagaces lectores descubrieran el engaño, su nombre quedaría marcado para siempre en el papel amarillento de sus insípidas novelas.

Y pensó en Quevedo, y en su soneto preferido:

Su cuerpo dejará no su cuidado;
serán ceniza, mas tendrá sentido;
polvo serán, mas polvo enamorado.

A pesar de todo, los hombres como Galán, como Narciso Suances, como esos jóvenes que esperaban nerviosos en la sala de espera de Marcela Sumalavia tenían razón, no había pócimas milagrosas, fuentes de la eterna juventud, santos griales, ni pactos con el diablo, aquélla pasión era la única inmortalidad posible. Los hombres pasan y las obras quedan.

Nereida, harto de ser el forzoso defensor de los valores de una sociedad que no compartía, cansado de ser un quijote en un mundo lleno de molinos, encantamientos y galeotes, se fue de allí casi sin despedirse de la agente literaria, ensimismado en sus profundos pensamientos sobre la justicia con mayúsculas y el crimen concebido como una de las bellas artes. Convencido de que la palabra «verdad» sólo tiene sentido entre comillas.

En uno de los descansos inalámbricos de Marcela, el inspector le confesó algo al oído, la confidencia hizo enmudecer a la agente, que sacó de donde pudo una especie de sonrisa, luego se marchó ligero de equipaje probatorio. Cerró aquella puerta con el deseo de olvidar definitivamente el caso, como ya lo había hecho el mundo entero, con ganas de cruzar el umbral del Templo de Venus y echarse en brazos de Nadia. Más que nunca, ese día necesitaba ternura. Eso que llaman amor para vivir. Él sólo conocía aquella forma de consuelo: el ligero sabor del whisky de malta y el dulzor del carmín en sus labios.

Cuando Nereida se fue, Marcela abrió un cajón de su escritorio y revolvió nerviosa entre rotuladores, notas autoadhesivas y tranquilizantes. Extrajo un pequeño tubo de pomada y se administró en el tobillo inflamado y enrojecido un ungüento desinfectante contra las mordeduras de perro. Tenía una herida aún no cicatrizada, tan señalada como un tatuaje. Eran las secuelas que los afilados colmillos de Anubis, dios de los difuntos, marcados en su piel la noche de San Juan.

FIN